REVISTAS CIENTÍFICAS DE CIENCIAS
DE LA INFORMACIÓN EN EL ABISMO

— Colección Comunicación e Información Digital —

REVISTAS CIENTÍFICAS DE CIENCIAS DE LA INFORMACIÓN EN EL ABISMO

Coordinadores

Rafael Repiso
Javier Guallar
José Manuel de Pablos Coello

Autores
(por orden de aparición)

Rafael Repiso
Javier Guallar
José Manuel de Pablos Coello
Manuel Mora Márquez
Sebastián Rubio García
Belén Puebla Martínez
Elpidio del Campo Cañizares
Pedro Pérez Cuadrado
Rosalba Mancinas-Chávez
Gema Alcolea-Díaz
María García García
Victoria Tur-Viñes
Cristina Domene-Beviá
Carmen Marta-Lazo
Ignacio Blanco Alfonso
Cristina Rodríguez Luque
Sebastián Rubio García
Manuel Mora Márquez

EGREGIUS
ediciones

**REVISTAS CIENTÍFICAS DE CIENCIAS
DE LA INFORMACIÓN EN EL ABISMO**

Ediciones Egregius
www.egregius.es

Diseño de cubierta e interior: Francisco Anaya Benitez

1ª Edición. 2018

ISBN 978-84-17270-41-4

Colección:
Comunicación e Información Digital

Editora científica
Carmen Marta-Lazo

Editor técnico
Francisco Anaya Benítez

Consejo editorial

José Ignacio Aguaded Gómez *(Universidad de Huelva, España)*
Amaya Arribas Urrutia *(Universidad de los Hemisferios, Ecuador)*
Miguel Ezequiel Badillo Mendoza *(Universidad Nacional a Distancia, Colombia)*
Jean Jacques Cheval *(Université Bourdeaux Montaigne, Francia)*
Pedro Farias Batlle *(Universidad de Málaga, España)*
Joan Ferrés i Prats *(Universidad Pompeu Fabra, España)*
Divina Frau Meigs *(Universidad de la Sorbona, Francia)*
Francisco García García *(Universidad Complutense, España)*
Agustín García Matilla *(Universidad de Valladolid, España)*
Sara Gomes Pereira *(Universidad do Minho, Portugal)*
Patricia González Aldea *(Universidad Carlos III de Madrid)*
Elisa Hergueta Covacho *(Universidad de Krems, Austria)*
Octavio Islas Carmona *(Universidad de los Hemisferios, Ecuador)*
Fernando López Pan *(Universidad de Navarra, España)*
Rosalva Mancinas Chávez *(Universidad de Sevilla, España)*
Jorge Cortés Montalvo *(Universidad de Chihuahua, México)*
Gerardo Ojeda Castañeda *(Instituto Latinoamericano de Comunicación Educativa, México)*
Miguel Ángel Ortiz Sobrino *(Universidad Complutense, España)*
Sara Osuna Acedo *(UNED, España)*
Daniel Prieto Castillo *(Universidad de Cuyo, Argentina)*
Ramón Reig García *(Universidad de Sevilla, España)*
Rafael Repiso Caballero *(UNIR, España)*
Jorge Rodríguez Rodríguez *(Universidad San Jorge, España)*
Francisco Javier Ruiz del Olmo *(Universidad de Málaga, España)*
Sergio Roncallo Dow *(Universidad de la Sabana, Colombia)*
Stefano Spalletti *(Università di Macerata, Italia)*
Simona Tirocchi *(Universidad de Turín, Italia)*
Jordi Torrent *(Alianza de las Civilizaciones de las Naciones Unidas, USA)*
Miguel Túñez López *(Universidad de Santiago de Compostela, España)*
Victoria Tur Viñes *(Universidad de Alicante, España)*
Carlos Felimer del Valle Rojas *(Universidad de la Frontera, Chile)*

Edita:

Grupo de Investigación
en Comunicación
e Información Digital (GICID)

Universidad Zaragoza

ÍNDICE

REVISTAS CIENTÍFICAS DE CIENCIAS DE LA INFORMACIÓN EN EL ABISMO

Rafael Repiso
Javier Guallar
José Manuel de Pablos Coello

Nos encontramos en un momento crucial para el futuro de la comunicación científica. Ésta no volverá a ser como la hemos conocido pues los soportes y los modelos económicos utilizados hasta ahora se han demostrado caducos e ineficientes en el actual horizonte digital. Estamos situados ante un panorama cambiante que afecta al sistema mundial de investigación y a cuantos sistemas se nutren de éste, como es el universitario. Los cambios vienen provocados por cuatro causas fundamentalmente, a nuestro juicio: por una parte, las innovaciones que han aparecido en las tecnologías de la información; en segundo lugar, los cambios de modelos económicos derivados de estas innovaciones; en tercer lugar, la incorporación de nuevos países, los llamados emergentes, a la producción de conocimiento; y en último lugar las regulaciones de los diferentes gobiernos en relación a la producción y acceso de su producción científica.

Christine L. Borgman sintetitza a la perfección el objeto de la Comunicación Científica y lo contextualiza como un engranaje fundamental en la maquinaria investigadora y académica.

> Por comunicación académica entendemos el estudio de cómo los académicos en cualquier campo (por ejemplo, ciencias físicas, biológicas, sociales y conductuales, humanidades, tecnologías) utilizan y difunden información a través de canales formales e informales. El estudio de la comunicación académica incluye el crecimiento de la información académica, las relaciones entre las áreas y disciplinas de investigación, las necesidades de información y los usos de los grupos de usuarios individuales, y las relaciones entre los métodos formales e informales de comunicación. (Borgman, 2000)

La Comunicación Científica es fundamental en estos sistemas que se basan en el intangible del conocimiento: Por tanto, es indispensable garantizar la eficiencia y validez de los medios de difusión de información científica a fin de que el sistema se nutra adecuadamente de ellos con el máximo beneficio. Medios que además producen una información especialmente valiosa, información original, es decir que alimentan al sistema con conocimiento novedoso, no redundante.

Es recomendable profundizar en los motivos que han vuelto caduco el antiguo modelo, ya que su estudio nos permitirá una correcta interpretación y valoración del cambiante panorama actual y podremos incluso vislumbrar las connotaciones de la futura comunicación científica. Los cuatro ejes de cambio son:

Innovaciones tecnológicas

Los desarrollos tecnológicos aplicados a las Tecnologías de la Información siempre han enriquecido las posibilidades comunicativas, principalmente en cuatro frentes: 1, aumentando la velocidad de los procesos evaluativos; 2, ampliando la difusión; 3, aumentando la capacidad de los documentos para transmitir información; 4, generando alternativas más potentes y eficientes a los clásicos procedimientos de análisis y difusión.

Tan sólo la aparición del correo electrónico ya supuso un adelanto cuantitativo para las revistas, que pudieron acortar sus periodos de evaluación y publicación, pues se ahorraban el tiempo en que los trabajos se encontraban en tránsito postal. Se aceleraba además la maquetación, pues los originales se recibían en formato electrónico y no sólo en papel. Pero los adelantos tecnológicos no sólo pertenecen a la era digital, los propios adelantos en los procesos de edición permitieron que en 1869 Norman Lockyer publicara una revista que, como característica diferencial, incluía imágenes, la revista Nature. En definitiva, la comunicación científica siempre se ha aprovechado de las ventajas que las nuevas tecnologías le han ofrecido. Quizás el problema actual sea que el desarrollo de herramientas y propuestas desde la creación de la web ha ido creciendo a un ritmo exponencial y que constantemente surgen nuevas aplicaciones tecnológicas aplicadas a la Comunicación Científica, además del efecto que estas tienen en los comportamientos de la comunidad.

Esta evolución conlleva asimismo que el uso de los antiguos formatos sea redefinido o en algunos casos se extinga, como en el caso de las revistas en CD-ROM. Con la aparición de internet, el rol de los formatos impresos se ha visto modificado, reducido, matizado, igual que se modificó el uso de la radio con la aparición de la televisión. El documento digital ha sustituido al papel en aquella información que requiere una pronta y extensa divulgación y que además puede ser objeto de análisis de su contenido. Por ende, las revistas se han convertido en depósitos universales de sus obras, mientras que antes lo ejemplares se depositaban en las bibliotecas que las adquirían.

Es quizás en las plataformas de contenidos de revistas donde se percibe con mayor claridad el desarrollo tecnológico continuo y a la vez el gran abismo tecnológico entre revistas académicas profesionales y revistas académicas amateur. La inversión y constante innovación de las mejores revistas científicas contrasta fuertemente con lo estático de las revistas planas. Mientras que las grandes editoriales científicas aprovechan e innovan en la difusión y gestión de contenidos, aquellas revistas que apenas cuentan con recursos han aparcado la cuestión tecnológica, refugiándose en páginas web que giran en torno a la descarga de los artículos maquetados, desaprovechando todas las posibilidades que ofrece una plataforma de gestión de contenido. Aun cuando existen alternativas gratuitas como OJS o Ambra, su implantación requiere de inversión y mantenimiento.

Nuevos modelos económicos

Con el cambio al formato digital la función comercial mayoritaria de las revistas ha cambiado. Antes las revistas eran principalmente vendedoras de un producto (los ejemplares); en cambio, en el soporte digital la revista vende directa o indirectamente un servicio, el acceso a sus artículos. Ya no se paga por adquirir un producto almacenable sino por el acceso, normalmente temporal, a la información. La diferencia entre ofrecer un producto o un servicio tiene consecuencias profundas no sólo en los aspectos económicos, también en los aspectos funcionales, las revistas deben cambiar sus dinámicas de trabajo, su forma de atender a los clientes y su cartera de bienes.

No obstante, no es la primera crisis del sector. La situación que vivimos actualmente tiene su precedente en la que se creó con el uso generalizado de fotocopiadoras en las bibliotecas universitarias en los 60s del siglo pasado, hecho que llevó a que muchos investigadores diesen de baja sus suscripciones personales a revistas. Como respuesta, la industria editorial aumentó sustancialmente el precio de las suscripciones institucionales, con la justificación de que un ejemplar en una biblioteca es consultado y fotocopiado por un elevado número de investigadores. La industria editorial científica tuvo que lidiar con la perdida de su principal vía de financiación, las suscripciones individuales.

Otro aspecto fundamental es la aparición del Acceso Abierto como filosofía, para algunos, religión. Son muchas las ventajas si la información científica fuese compartida en acceso abierto, igual que sucedería con el acceso al agua, la comida o cualquier recurso. La pregunta es: ¿Es viable? ¿Quién paga los procesos de evaluación y edición? ¿Se pueden reducir costes sin reducir la calidad? La realidad es que el movimiento del Acceso Abierto está planteando múltiples preguntas y haciendo reflexionar críticamente a la industria de la edición científica.

Países emergentes

El desarrollo de las naciones y la globalización de la democracia y de los mercados han provocado que naciones periféricas así como muchas empresas con presencia en estos países se preocupen por la investigación y la formación de investigadores. Claro ejemplo de ello es la multiplicación de universidades que hemos vivido en las últimas décadas. Esta realidad ha sido especialmente significativa en los países llamados BRIC -Brasil, India, China y Rusia-. Iberoamérica, en conjunto, es considerada como región emergente, con España y Brasil a la cabeza en producción de revistas científicas (Repiso, Jiménez-Contreras y Aguaded, 2017). Junto con la multiplicación de universidades y de estudios de posgrado y doctorado surge también la multiplicación de revistas científicas. El nacimiento de las nuevas revistas científicas es a veces planificado y estimulado por el propio sistema, como es el caso de Brasil, o simplemente es auspiciado por investigadores que asumen esta labor de gestión y difusión científica.

Otro elemento de cambio en relación a los nuevos actores es que estos países defienden en muchos casos la publicación en sus lenguas vernáculas, especialmente aquellos donde hay una masa crítica suficiente para que sus respectivas lenguas tengan una gran audiencia (portugués, chino y castellano). Este fenómeno tiene especial incidencia en las áreas de Humanidades y Ciencias Sociales, aunque también tiene relevancia en Biomedicina. ¿Por qué cambia esto el panorama? Porque el sistema científico internacional está actualmente dominado por el inglés y los principales servicios o son creados por anglosajones o pensados para trabajos en inglés, desde el software a las bases de datos que alojan los artículos. Esto imposibilita que muchas bases de datos o editoriales puedan dar un servicio completo a estas revistas y a la vez que surjan alternativas regionales a los grandes productos de evaluación científica.

Los países necesitan investigar para que su tejido industrial sea competitivo de forma global, además de estudiar los fenómenos sociales e históricos propios y dar respuestas adaptadas a las problemáticas propias. La emergencia de la investigación en los países periféricos es un fenómeno que por su propia lógica ha llegado para quedarse.

Políticas científicas gubernamentales

Las decisiones políticas encaminadas a dirigir la inversión en investigación de un país y su posterior evaluación afectan directamente a la Comunicación Científica, priorizando unos medios frente a otros, incentivando la publicación en acceso abierto o respaldando la creación, mantenimiento, evaluación y mejora de revistas. Un buen ejemplo de ello son las políticas de creación de revistas en Brasil que desde hace dos décadas impulsa la creación de revistas que soporten estudios de posgrados y que han elevado sustancialmente el número de cabeceras en el país estimulando la producción de sus investigadores, tanto en revistas propias como en revistas internacionales.

En España, por ejemplo, se prioriza la publicación en revistas indexadas en Web of Science, dando especial valor a las revistas de los primeros cuartiles del Journal Citation Reports. Esto se refleja a través de las valoraciones de los procedimientos que tienen en cuenta la producción de los investigadores ya sea para acreditar la calidad del profesor, del claustro de un título o de un grupo de investigación. No obstante, existe una lista de productos con un rango de valor que permite clasificar a las revistas, de cara a evaluaciones oficiales, en primera, segunda, tercera y hasta cuarta división, como la clasificación CIRC (Torres-Salinas y Repiso, 2016).

Normalmente las políticas científicas gubernamentales tienen dos matices, el positivo o el negativo; esto es, premiar o incentivar ciertas prácticas o por el contrario exigir bajo la premisa de penalizar la adecuación. En España las revistas no reciben ningún incentivo para la ejecución de sus funciones, pero en cambio sí son evaluadas (voluntariamente). El gobierno a través de la Fundación Española para la Ciencia y la Tecnología (FECYT) presenta un sello de calidad para aquellas revistas que demuestran parámetros de calidad formal e impacto. Se trata de una interesante convocatoria que ha estado marcada por las críticas cuando se han desviado las propias normas de evaluación de revistas, como sucedió en tiempos de la anterior administración.

Los gobiernos de los países emergentes, que no tienen una industria editorial científica consolidada, deben realizar también un esfuerzo por crear y mantener unos medios de comunicación profesionales, competitivos. No se puede pedir a la academia que aumente su producción científica si no se generan nuevos canales de publicación propios.

Vistas las características del origen de la actual crisis, sería sensato poner el foco en varios problemas que tenemos ahora mismo sobre la mesa:

- La demanda social por el Acceso Abierto, que limita las opciones de obtener recursos para autogestionar las revistas, se deben generar incentivos públicos para que las revistas electrónicas abracen este modelo de difusión sin menoscabar las energías del sistema.

- Se necesita una constante investigación sobre las revistas científicas que permita adaptarse de manera constante y eficaz a un panorama cambiante. Incluso, las revistas de países emergentes pueden liderar en algunos campos la innovación en el área. Es fundamental la constante revisión de las propias cabeceras, pues lo que no se evalúa se devalúa.

- La falta de políticas públicas que permitan el desarrollo de revistas competitivas, en plataformas tecnológicas actualizadas y con procesos de edición y difusión profesionales.

Asimismo, otro aspecto fundamental a nuestro juicio es la necesidad de una mayor implicación de los estudios de Comunicación en el área específica de la Comunicación Científica, pues hasta ahora ha sido fundamentalmente el área de Documentación la que se ha preocupado por los procesos de evaluación científica, descuidando en parte el papel de las revistas como medios de comunicación.

Por último, un elemento fundamental para entender la actual crisis es que los principales cambios a los que estamos asistiendo vienen dados por la rapidísima evolución de las TICs. Ser capaces de "surfear la ola" de cambios con éxito es un reto ineludible para todos los agentes implicados en la Comunicación Científica. El éxito o el fracaso del empeño puede depender de saber avistar la ola a tiempo para tomar en consecuencia la mejor decisión.

Por ello, la presente obra incentiva la puesta en común de las experiencias registradas en revistas con ejemplos de casos de éxito, reflexiones amplias sobre la difusión de la comunicación científica de las revistas y las universidades así como un caso concreto de estudio, las revistas y sus palabras clave como elemento de análisis. La ventaja de las revistas iberoamericanas es la opción por la colaboración entre sus miembros y la publicación de los conocimientos y experiencias de la comunidad es fundamental para este propósito.

- Análisis bibliométrico de la revista Index.Comunicación (2011-2017). Estrategias de posicionamiento inicial

- Ámbitos. Dos décadas haciendo posible una publicación científica en comunicación: tercera etapa

- Estudio comparativo del uso de las redes sociales para la difusión de artículos académicos en Plataforma Latina de Revistas de Comunicación (2013 – 2017)

- La apuesta internacional de Doxa Comunicación. Parámetros de calidad y desafíos editoriales

- Revistas multidisciplinares en ciencias: razones de éxito

- ¿Qué puede descubrirse a través de las palabras clave? Breve análisis de la Didáctica de las Ciencias dentro del área de la Educación en las publicaciones con índice de impacto JCR.

- Universidad y medios sociales. Gestión de la comunicación en las universidades británicas

Bibliografía

Borgman, C. L. (2000). Digital libraries and the continuum of scholarly communication. Journal of documentation, 56(4), 412-430.

Repiso, R., Jiménez-Contreras, E., & Aguaded, I. (2017). Revistas Iberoamericanas de Educación en SciELO Citation Index y Emerging Source Citation Index. Revista española de Documentación Científica, 40(4), 186.

Torres-Salinas, D., & Repiso, R. (2016). Clasificación CIRC 2016. Anuario Think EPI, 10.

CAPÍTULO I

¿QUÉ PUEDE DESCUBRIRSE A TRAVÉS DE LAS PALABRAS CLAVE? BREVE ANÁLISIS DE LA DIDÁCTICA DE LAS CIENCIAS DENTRO DEL ÁREA DE LA EDUCACIÓN EN LAS PUBLICACIONES CON ÍNDICE DE IMPACTO JCR

Dr. Manuel Mora Márquez
Universidad de Córdoba, España

Dr. Sebastián Rubio García
Universidad de Córdoba, España

Resumen

Las palabras clave o comúnmente llamadas descriptores (aunque en este sentido, la terminología puede llevar a confusión) son uno de los elementos que permiten catalogar e indexar las publicaciones científicas, siendo asimismo elemento clave a la hora de realizar búsquedas bibliográficas. Estos términos, bien expresados en las normas que imponen la terminología Tesauro, permiten localizar, a partir de una búsqueda rápida y sencilla, trabajos de una temática determinada, ya que su uso redundan en la calificación y codificación de los artículos.

En este trabajo se expondrá una introducción del uso de las palabras clave, seguida de una parte metodológica basada en la contextualización del uso de estos términos y que tiene como misión principal realizar un estudio de las líneas de investigación de la rama científica de la Didáctica de las Ciencias, relacionada con la educación, haciendo para ello un breve análisis en los últimos años de cuáles han sido temas de interés y su repercusión, analizándose esta última en base al número de publicaciones y número de citas de dichas líneas temáticas. En este sentido, se analizaran solamente las publicaciones en revistas indexadas en JCR, por ser este índice un aval de la calidad a nivel investigador contrastado.

Palabras claves

Palabras claves, normas Tesauro, indexación, número de citas, índice JCR

Introducción

Las palabras clave son unos elementos fundamentales para obtener información inmediata sobre una temática en particular, una línea de investigación o un área de conocimiento. Estos términos son usados por las bases de datos para mejorar el rendimiento de las búsquedas bibliográficas (García Rio, 1999), si bien su funcionamiento puede confundirse con el término descriptores. En este sentido, las palabras claves son "vocablos extraídos del lenguaje natural" mientras que los descriptores describen "términos unívocos, controlados y estructurados jerárquicamente, componentes de un Tesauro, organizados formalmente con objeto de hacer explícitas las relaciones entre conceptos" (Sanz-Valero y col, 2008). El uso de estos términos, ya sean palabras clave o descriptores permiten minimizar efectos negativos notados del uso de las bases bibliográficas y el exceso de información (Jorge, Solorzano y Ruiz, 2004), ya que estos filtros metodológicos no actúan de forma unilateral, sino que trabajan de forma conjunta, en combinación de términos donde las palabras clave/descriptores se relacionan entre sí y acotan otra palabra clave/descriptor (identificado como el término principal que se desea buscar o analizar), permitiendo trabajar con una información acotada con un alto grado de pertinencia.

Este uso de las palabras clave tiene unos objetivos bien definidos, como son la minimización de la información superflua y el aumento, alcanzando las cotas máximas posibles, del nivel de sensibilidad en la búsqueda realizada. Este uso fundamental de las palabras clave permite llamarlas inicialmente estrategias de búsqueda (Arranz, 2003).

La trascendencia actual, debido al gran volumen de trabajo generado en cada disciplina científica, es si cabe más importante, con respecto a categorizar y acotar las distintas terminologías que dan como resultado el compendio académico de cualquier disciplina. En este sentido, cada vez más frecuentemente, en las bases de datos usadas para búsquedas bibliográficas (véase en el caso de España: ICYT – base de datos de Ciencia y Tecnología – ISOC – base de datos de Ciencias Sociales y Humanidades – e IME – base de datos de Biomedicina) se trabaja más para paliar la inadecuada selección de las palabras clave y por tanto acotar al máximo y con éxito la búsqueda realizada (García Rio, 1999). Esta trascendencia del uso de las palabras clave radica también en la visibilidad y difusión del documento en cuestión, que al quedar bien indexado minimiza posibles problemas de identificación (Ruiz Manzano, 1999). Este uso es paralelo a la importancia de la redacción del resumen en una publicación determinada, obteniéndose como dato que el 25% de las publicaciones científicas son devueltos a los autores por no existir concordancia entre los datos del resumen y los datos del manuscrito (Pitkin, Branagan y Burmeister, 1999). A la vista de estos resultados, se hace imprescindible acotar la información y usar tanto los descriptores como el resumen como guías en la búsqueda de información significativa que permita ampliar o precisar los contenidos sobre un área de conocimiento determinada (Calvache y Delgado, 2006).

Por otro lado, el uso de estos descriptores como referencia necesario para el posicionamiento y visibilidad de artículos y revistas de investigación ha abierto un campo de estudio complejo, pero de alta sensibilidad a la hora de tratar datos, como es la evaluación bibliométrica. En este sentido, la aparición de herramientas de búsqueda paralelas como Google scholar citacions (Harzig y Van der Wal, 2008), (Cabezas-Clavijo y Delgado-López-Cózar, 2013), (López, 2014) o nuevos parámetros a la hora de evaluar la calidad, como es el caso del índice h (Hirsch, 2005), (Arencibia-Jorge, 2009), (Dorta-González y Dorta González, 2010). Estos nuevos sistemas de indexación permiten tanto la evaluación de revistas como a los autores de las publicaciones científicas, repercutiendo en una nueva cultura, a nivel investigadora, que ahonda en la calidad de las publicaciones y no en la cantidad de las mismas (Gálvez-Toro y Amezcua, 2006), (Quindós, 2009). En este trabajo se busca analizar, de forma breve, la situación actual de la Didáctica de las Ciencias, dentro de las publicaciones indexadas en el índice de impacto del Journal Citations Reports (JCR), dentro del área de las Ciencias Sociales.

Objetivos Generales

Para la elaboración de este trabajo, se han definidos dos objetivos generales, que son:

- Ver el potencial de las palabras clave como elemento fundamental en la búsqueda bibliográfica.

- Contextualizar el uso de estas palabras clave para analizar las tendencias en el campo de las Didácticas de las Ciencias, dentro del área de Educación y teniendo en cuenta las publicaciones basadas en el índice JCR.

Asimismo, se ha definido como objetivo específico evaluar las herramientas de filtro bibliométricos que usa la base de datos Scopus y qué potencial tiene a la hora de extraer datos de interés a la hora de referenciar una publicación científica o evaluar la producción de una determinada área de conocimiento.

Método

A nivel metodológico, se han tenido en cuenta el uso inicial de descriptores que acoten la Didáctica de las Ciencias en el área de conocimientos de las Ciencias Sociales. Para ello, se han elegido como descriptores "Education", "Science" y "Didactic". El motor de búsqueda usado, por su versatilidad con respecto al uso de filtros bibliográficos y flexibilidad a la hora de cotejar datos, ha sido Scopus, una base de datos multidisciplinar de referencias bibliográficas de ámbito internacional y que pertenece a la empresa Elsevier. Este motor de búsqueda tiene una base de datos de unas 20000 revistas de más de 5000 editores internacionales y cubre en sus publicaciones 40 idiomas. La elección de este motor de búsqueda no es accesoria, es intencionada con respecto a ofrecer datos que avalen la calidad de las publicaciones (expresada esta calidad en el índice de referencia JCR) y comparar datos de forma cruzada de una manera rápida. Asimismo, en comparación con otras bases bibliográficas usadas con mayor profusión como son la WOS (Web of Science) o Google Scholar Metrics, permite una discriminación mayor al usar filtros más potentes, lo que permite una evaluación bibliométrica más exhaustiva (Delgado y Repiso, 2013).

Para el análisis, se han tenido en cuenta como filtros bibliográficos el año de publicación, las palabras clave relacionadas con los descriptores elegidos, las revistas indexadas dentro del área de conocimiento acotada, el tipo de publicación, el centro de procedencia de la publicación y el país de la publicación. Asimismo, se ha elegido el intervalo de años de publicación de 1975 – 2018.

Resultados y discusión

De los primeros resultados obtenidos, al acotar con los descriptores "education", "science" y "didactic" en alguna parte del cuerpo redactado de la publicación (resumen, título del artículo y palabras clave), nos encontramos con la publicación de un total de 1377 documentos indexados en Scopus (figura 1) , teniendo como año de referencia inicial 1975 (año en la que aparecen las primeras publicaciones con los descriptores seleccionados) y donde puede observarse una tendencia ascendente desde la aparición de publicaciones sobre Didáctica de las Ciencias hasta la actualidad. Esta tendencia ascendente se corresponde totalmente con la inclusión de nuevas metodologías educativas en el aula, derivadas del nuevo papel activo del alumnado y el aprendizaje significativo de conocimientos (Salinas, 2004), (Ruiz, 2011), (Herrero Martínez, 2014).

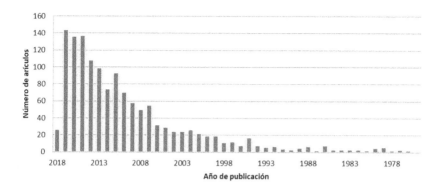

Figura 1: Evolucion de las publicaciones que contienen los descriptores "education", didactic" y "science" en el periodo seleccionado (1975-2017)

Sin embargo, el posicionamiento de este campo emergente, con respecto a la Educación en Ciencias o dentro del amplio campo de la Educación no deja de ser anecdótica (figura 2), que nos da una idea de la necesidad, por un lado, de las revistas científicas de apostar más por estas publicaciones en esta rama científica de la Didáctica, con unas líneas editoriales que aboguen por las líneas de investigación de este campo de aplicación, y por otro, de la aparición de un mayor volumen de revistas que queden indexadas en JCR (debido al volumen de publicaciones dedicadas a la Didáctica de las Ciencias indexados en otros índices y medidos a partir de Google Scholar – Tabla 1)

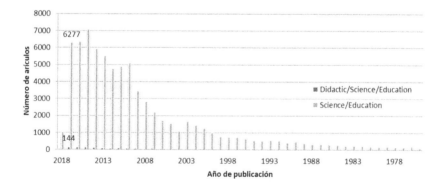

Figura 2: Comparativa entre la evolucion de las publicaciones que contienen los descriptores "education", didactic" y "science" (rojo) y aquellas que aparecen con los descriptores "science" y "education" en el periodo seleccionado (1975-2018)

Tabla 1: Comparativa del número de citas de las palabras clave seleccionada, en los índices de referencia JCR y Google Scholar, en el periodo seleccionado

	Número de citas en el índice seleccionado	
Palabras clave	JCR	Google Scholar (*)
Didactic / Science /Education	1377	91400
Science /Education	75661	205000

(*) Se incluye citas en libros y revistas

Este primer resultado, ya filtrado al contar con la aparición de estos descriptores en el resumen/titulo/palabras clave, podría acotarse teniendo en cuenta la distribución de áreas de conocimiento donde aparecen los descriptores (figura 3), donde el área de las Ciencias Sociales tiene indexada 636 publicaciones, seguida del área de Medicina con 379 publicaciones.

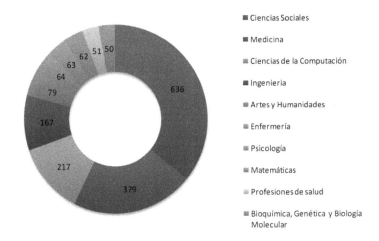

Figura 3: Distribución de las publicaciones que contienen los descriptores "education", "didactic" y "science", con respecto al área de conocimiento

De esta distribución por áreas de conocimiento, se pueden extraer dos conclusiones básicas: la primera, que la elección de las palabras clave ha sido la adecuada, debido a la predominancia del área de las Ciencias Sociales, área objeto de estudio de este trabajo. Esto pone en evidencia que el primer paso de elección de palabras clave es fundamental a la hora de acotar las publicaciones de referencia a estudiar o investigar las publicaciones de un determinado área de conocimiento, permitiendo al autor ver referencias sobre la línea de su trabajo o explorar nuevas líneas de investigación. Por otro lado, podemos extraer una segunda conclusión que habla de la necesidad, por parte de otras áreas de conocimiento, de integrar la didáctica de la ciencia entre sus líneas de trabajo, lo que habla mucho y bien de este subárea de conocimiento, dentro de los nuevos retos a la hora de comunicar resultados de investigaciones o plantear investigaciones que asuman retos a la hora de enseñar conocimientos desde un punto de vista más práctico y más cercano al alumnado.

Asimismo, podemos realizar otro sesgo inicial teniendo en cuenta el tipo de documento indexado, prevaleciendo las publicaciones en formato artículo (907 documentos) frente a los artículos derivados de conferencias (281 documentos), las revisiones (95 documentos) o los capítulos de libro (59 documentos). Estos datos ponen de manifiesto únicamente la forma actual de publicación preferencial que tienen las revistas científicas, donde el formato artículo, ya sea por su extensión, definición de normas o velocidad a la hora de revisar/editar/publicar, impone la dinámica de las actividades científicas de los autores.

Una vez acotados a las Ciencias Sociales y a las publicaciones en formato artículo, podemos examinar las distribuciones de los países de publicación, cotejándolas con las revistas científicas de dichas publicaciones, que nos dará una información rica en elementos a comparar, como son el índice SCImago de dichas revistas, el número de citas y el número de documentos por año. Una primera visión de la distribución por países se observa en la figura 4.

Figura 4: Distribución de las publicaciones en formato artículo con respecto al país de publicacion

Un resultado interesante a resaltar de la figura 4 es el segundo lugar ocupado por España, con 75 publicaciones, que permite colocar la investigación de la Didáctica de las Ciencias en un lugar destacado, logrando alcanzar un estatus de calidad, con respecto a los autores de habla hispana, dentro del campo de estudio elegido.

Otro filtro que puede usarse para evaluar los resultados obtenidos en la búsqueda inicial es relacionar la afiliación/ universidad de los autores del trabajo indexado con respecto a las revistas donde se han publicado dichos trabajos. Para ello se eligieron las 10 universidades donde aparecen más artículos relacionados con el campo de estudio, resultando la figura 5, que pone de manifiesto esta tendencia con respecto a estos dos parámetros.

1. Revista Eureka
2. Enseñanza de las Ciencias
3. Educational Studies in Mathematics
4. Círculo de Lingüística aplicada a la Comunicación
5. Revista Mexicana de investigación educativa
6. International Journal on Mathematics Education
7. European Journal of Psychology of Education
8. Revista Complutense de Educación
9. Educación Química
10. Magis
11. Teaching and Teacher Education
12. Science and Education
13. Journal of Science Education
14. Cadernos de pesquisa
15. IEEE Transactions on Education
16. Revista Brasileira de Ensino de Física
17. Journal of Biological Education
18. International Journal of Science Education
19. Bordon
20. Estudios Sobre el Mensaje Periodístico
21. Arts and Humanities in Higher Education
22. Profesional de la Información
23. International Journal of Environmental and Science Education
24. Asian Social Science
25. Journal of Sustainable Development
26. Mediterranean Journal of Social Sciences
27. International Journal of Educational Technology in Higher Education
28. Education Policy Analysis Archives
29. Educacion XX1
30. Revista Mexicana de Investigacion Educativa
31. Educación Medica
32. Perfiles Educativos
33. Journal of Teacher Education for Sustainability
34. Chemistry Education Research and Practice
35. CBE Life Sciences Education
36. Journal of Dental Education
37. Cell Biology Education
38. American Biology Teacher

Figura 5: Relación entre las universidades que presentan más número de publicaciones en el campo de la Didáctica de las Ciencias y la distribución de estas publicaciones dentro de las revistas indexadas en el área de las Ciencias Sociales

El primer resultado a destacar de la gráfica 5 es que entre las 10 universidades que más han publicado dentro de las Didácticas de las Ciencias se encuentran 5 universidades (Universitat Áutònoma de Barcelona, Universidad de Sevilla, Universidad Complutense de Madrid, Universidad de Cádiz, Universidad Autónoma de Madrid). Este resultado habla del potencial de las investigaciones españolas dentro del campo de estudio seleccionado. Un segundo resultado es observar la gran heterogeneidad de revistas del campo de estudio donde se encuentran indexadas estas publicaciones, con un resultado de 38 revistas. Esta dispersión no es un dato que contraste ninguna tendencia, pero salvo casos contados (entre los que destacada la Revista Eureka y Enseñanza de las Ciencias – ambas con 10 publicaciones), estas publicaciones parecen ser "anecdóticas" más que constituir un cuerpo de publicaciones en una línea de trabajo dentro del campo de estudio.

Un análisis más detenido de las publicaciones de España nos da una distribución con respecto a años de publicación y revistas científicas que nos habla de una tendencia con respecto a estas líneas de investigación en el campo de estudio elegido. Esta tendencia ha sido un tanto heterogénea, con respecto a las revistas donde aparecen publicaciones tabuladas con los descriptores, apareciendo un total de 45 revistas a lo largo del periodo de años analizado. Para realizar un estudio de esta tendencia de las publicaciones de España, dentro de la Didáctica de las Ciencias, se han elegido las tres revistas con un número mayor de artículos publicados con los descriptores elegidos (Revista Eureka, Enseñanza de las Ciencias y Revista de Educación) y se han relacionado año de publicación, número de artículos y número de citas de dichos artículos.

Una visión de esta relación de datos se muestra en la figura 6, donde se desprende la poca incidencia de las revistas españolas de investigación en el ámbito de estudio, con respecto al número de citas. Esto debería hacer repensar a los editores de las mismas si un cambio en las líneas trabajo de las publicaciones revisadas no sería necesario para posicionarse de una manera más acorde (teniendo en cuenta el número de publicaciones de las mismas) dentro del campo de estudio. La misma tendencia para las publicaciones del ámbito de Estados Unidos deja como comparativa los resultados ofrecidos en la tabla 2, donde se han seleccionado las tres revistas con mayor número de artículos publicados.

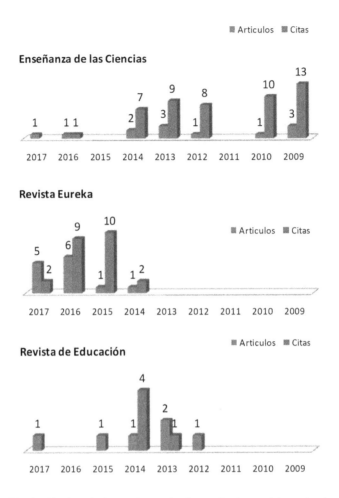

Figura 6: Distribución de articulos y número de citas en las tres revistas seleccionadas del ambito español

Asimismo, la incidencia de estas revistas españolas también se ve condicionada con respecto a su indexación en JCR, ya que de los tres casos, la Revista Enseñanza de las Ciencias se encuentra indexada desde el año 2009, mientras que la indexación de la Revista de la Educación es del año 2012 y la Revista Eureka pasó a estar en JCR en el año 2014. Este poco bagaje dentro del índice JCR va en paralelo con respecto al número de citas encontradas para los artículos catalogados.

Tabla 2: Comparativa entre revistas españolas y estadounidenses con respecto a los descriptores seleccionados y los artículos/citas indexados en JCR

Año de publi-cación	Revista					
	Ense-ñanza de las Cien-cias	Eureka	Revista de Edu-cación	Journal of Dental Educa-tion	Journal of Research in Sci-ence Teaching	American Journal of Pharma-ceutical Education
2017	1 (0)	5 (2)	1 (0)	0 (0)	1 (0)	0 (0)
2016	1 (1)	6 (9)	0 (0)	0 (0)	0 (0)	0 (0)
2015	0 (0)	1 (10)	1 (4)	0 (0)	0 (0)	1 (0)
2014	2 (7)	1 (2)	2 (1)	0 (0)	0 (0)	0 (0)
2013	3 (9)	0 (0)	1 (0)	2 (12)	0 (0)	0 (0)
2012	1 (8)	0 (0)	0 (0)	0 (0)	0 (0)	0 (0)
2011	0 (0)	0 (0)	0 (0)	1 (13)	0 (0)	0 (0)
2010	1 (10)	0 (0)	0 (0)	0 (0)	0 (0)	1 (18)
2009	3 (13)	0 (0)	0 (0)	2 (22)	0 (0)	0 (0)
2008	0 (0)	0 (0)	0 (0)	1 (13)	0 (0)	0 (0)
2003	0 (0)	0 (0)	0 (0)	0 (0)	3 (257)	2 (12)
1997	0 (0)	0 (0)	0 (0)	0 (0)	1 (22)	0 (0)
1994	0 (0)	0 (0)	0 (0)	0 (0)	1 (46)	0 (0)

Nota: Entre paréntesis se muestra el número de citas de los artículos publicados en el año correspondiente

Estos resultados obtenidos, que si bien no varían mucho en el número de artículos indexados, sí se diferencian en la cantidad de citas con respecto a los artículos publicados en revistas estadounidenses, lo que permite aseverar, sin lugar a dudas, que estas publicaciones tienen un peso mayor en las líneas de trabajo del campo de las Didácticas de las Ciencias. Asimismo, una visión de estas revistas nos la da el índice h (según Google Scholar Metrics), el índice SCImago y el número de citas por año de publicación (estos últimos extraídos de la base Scopus) (tabla 3), que permite comparar la incidencia de estas revistas dentro de la dinámica de publicaciones en la temática seleccionada.

Tabla 3: Comparativa entre revistas españolas y estadounidenses con respecto al índice H, el índice SCImago y el número de citas por año (datos del 2016)

Revista	Índice H	Índice SCImago	Nª total de citas
Enseñanza de las Ciencias	14	0.358	151
Eureka	17	0.317	54
Revista de Educación	8	0.382	540
Journal of Dental Education	24	0.408	3036
Journal of Research in Science Teaching	41	2.872	7158
American Journal of Pharmaceutical Education	31	0.499	3576

Para intentar ver esta relación de revistas tanto españolas como estadounidenses y evaluar sus publicaciones desde otro prisma, se puede realizar un análisis de las palabras clave secundarias asignadas a los descriptores seleccionados. Para ello, en primer lugar y aplicando el sesgo de acotar las publicaciones indexadas en artículos científicos y acotando al área de las Ciencias Sociales, queda un resultado de 469 documentos, que serán analizados de forma pormenorizada, a fin de detectar qué palabras clave relacionadas con los tres descriptores iniciales se obtienen y qué segunda información podemos obtener de las mismas. Este análisis también se acotará con respecto al país de publicación, pudiendo comparar los artículos de España y los artículos de Estados Unidos. El análisis global sin filtrar por países de publicación se muestra en la figura 7.

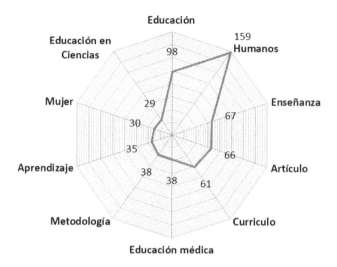

Figura 7: Distribución radial y tendencia de las palabras clave en el campo de las Didácticas de las Ciencias, a nivel global

De los datos de la figura 7, podemos sacar una conclusión clara: la tendencia en las palabras clave de ese campo de estudio se encuentran polarizadas hacia el término "humanos", que está en clara consonancia con el objeto de estudio de la Didáctica de las Ciencias, basada en el proceso de enseñanza-aprendizaje donde el protagonista principal es el alumnado, en cualquiera de los niveles educativos. Por otro lado, acompañando a esta palabra aparece "educación" y "enseñanza", que redunda en el comentario anterior. Otras palabras de importancia, dentro de la enseñanza, aparecen reflejadas entre las palabras más etiquetadas: "currículo", "educación en ciencias", "aprendizaje" y "metodología". Más simbólico, pero que tiene una explicación con respecto a dar visibilidad a la investigación, publicación y trabajo científico, es ver dentro de estas diez palabras el término "mujer". Si bien esta visibilidad no debería ser necesaria, por la paridad a nivel de escolarización o continuación de estudios, si redunda en el llamado "efecto Matilda", efecto que habla de la discriminación de la mujer en las aportaciones en cualquier campo científico.

Si esta tendencia es la dominante en cuanto al campo de estudio, una pregunta que automáticamente queda en el aire es ver si se mantiene en la comparativa entre las publicaciones de España y Estados Unidos. Dicha comparativa se muestra en la figura 8. La primera impresión de esta comparativa es refrendar los datos comentados a partir de las tablas 2 y 3, que habla de la predominancia de las revistas de Estados Unidos y cómo las palabras clave de sus artículos marcan la tendencia global. En este sentido, aparecen como palabras clave destacadas, de nuevo, "humanos", "educación" y palabras típicas del proceso de enseñanza al igual que en la figura 7. Sin embargo, por un lado desaparece entre las palabras destacadas "educación en ciencia", que es una palabra muy genérica y que no permite acotar mucho las líneas de trabajo actuales de la Didáctica de las Ciencias y, por otro lado, aparece la palabra "Estados Unidos", donde se muestra una contextualización clara de las propuestas de investigación, que son llevadas al entorno más cercano, con el manifiesto deseo de mejorar los procesos de aula del país, además de mejorar el nivel académico del alumnado.

En el caso de España, además de obtener un número menor de citas de palabras clave, no parece verse una línea clara o dominancia clara de estas palabras clave, además de aparecer palabras distintas con respecto a la tendencia global. De esta forma, aparecen palabras como "educación primaria", "educación secundaria", "educación del profesorado", "educación en informática" o "libros de texto", palabras clave que no permiten posicionar los artículos indexados en revistas españolas entre aquellos que marcan la tendencia del campo de estudio. Asimismo, esta elección de palabras clave tiene su reflejo en la poca incidencia en el número de citas de estos artículos (como ya se mostró en la tabla 2).

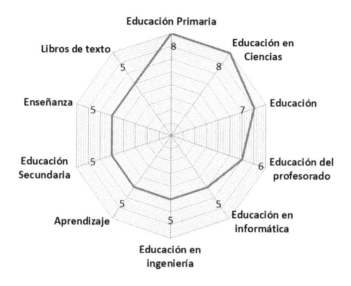

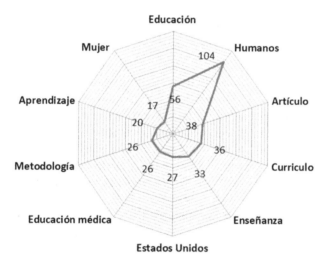

Figura 7: Distribución radial y tendencia de las palabras clave en el campo de las Didácticas de las Ciencias, en la comparativa entre España (arriba) y Estados Unidos (abajo)

La evolución de estas palabras clave puede permitir establecer las pautas en las líneas de investigación en este campo aplicado de las Ciencias (figura 8). Se han elegido, para ello, las 25 palabras clave más citadas en los últimos 10 años y como era de esperar, destacan las palabras "humanos", "educación" y "enseñanza". Además de estas, durante estos años han aparecido palabras clave que han quedado obsoletas (por ser muy específicas o referirse a una línea de investigación agotada) como son el caso de "organización y gestión", "medida educativa" o "investigación". Esto contrasta con la aparición de nuevas palabras altamente específicas, como son "didáctica comparativa", "desarrollo profesional" o "conocimiento de contenido pedagógico".

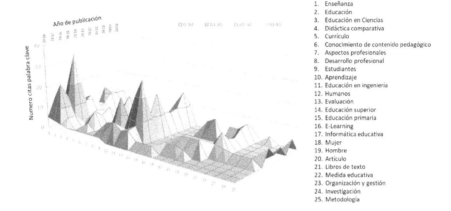

1. Enseñanza
2. Educación
3. Educación en Ciencias
4. Didáctica comparativa
5. Currículo
6. Conocimiento de contenido pedagógico
7. Aspectos profesionales
8. Desarrollo profesional
9. Estudiantes
10. Aprendizaje
11. Educación en ingeniería
12. Humanos
13. Evaluación
14. Educación superior
15. Educación primaria
16. E-Learning
17. Informática educativa
18. Mujer
19. Hombre
20. Artículo
21. Libros de texto
22. Medida educativa
23. Organización y gestión
24. Investigación
25. Metodología

Figura 8: Evolución de las palabras clave en el campo de las Didácticas de las Ciencias en las publicaciones indexadas JCR, en el intervalo de tiempo 2018-2008

Sin embargo, existen datos que no se puede desprender de forma inmediata y que corresponde a las líneas de investigación en el campo de estudio, ya que estas palabras clave son genéricas y no acotan el marco metodológico de las publicaciones. Para delimitar estas líneas de investigación se realiza una búsqueda cruzada teniendo en cuenta número de citas por artículo y año de publicación. Para esta ardua tarea, hemos elegido las 25 publicaciones con mayor número de citas, dentro del área de Ciencias Sociales, para las publicaciones sobre Didáctica de las Ciencias, en el intervalo seleccionado de años (1975-2108). Esta visión cruzada se puede observar en los datos de la tabla 4, donde se relacionará el año de publicación, los artículos seleccionados, el número de citas y las palabras clave indexadas. En las figuras anteriores se han traducido las palabras clave indexadas, debido a que la mayoría de las publicaciones estaban en inglés, pero en este caso se van a conservar tanto los títulos originales como las palabras clave.

Tabla 4: Comparativa entre los artículos con mayor número de citas, dentro del campo de la
Didáctica de las Ciencias, en el periodo 2008-2018 y su relación con las palabras claves
indexadas en dichos artículos

N°	Artículo	Año de publicación	N° Citas	Palabras clave indexadas
1	Peer education, gender and the development of critical consciousness: Participatory HIV prevention by South African youth	2002	245	HIV/AIDS, Peer education, Young people, South Africa
2	On-line peer assessment and the role of the peer feedback: A study of high school computer course	2007	130	Interactive learning environments, Secondary education, Learning communities, Improving classroom teaching, Peer assessment
3	Effectiveness of a Mobile Plant Learning System in a science curriculum in Taiwanese elementary education	2010	125	Applications in subject áreas, Elementary education, Improving classroom teaching, Teaching/learning strategies
4	Nestedness of beliefs: Examining a prospective elementary teacher's belief system about science teaching and learning	2003	119	No encontradas
5	Investigation of guided school tours, student learning, and science reform recommendations at a museum of natural history	2003	89	No encontradas
6	Blended learning positively affects students' satisfaction and the role of the tutor in the problem-based learning process: Results of a mixed-method evaluation	2009	87	Blended learning, Hybrid learning, Medical education, PBL, Problem-based learning
7	Computer-aided learning: An overvalued educational resource?	1999	82	Computer-assisted instruction education, medical, undergraduate, methods, evaluation studies, problem-based learning, RCT PT software, Wilcoxon test
8	PBL in the undergraduate MD Program at McMaster University: Three iterations in three decades	2007	79	Sin palabras clave
9	Pedagogical classroom practice and the social context: The case of Botswana	1997	75	Sin palabras clave

10	The laboratory in higher science education: Problems, premises and objectives	1988	73	High School, Science Education, Recent Literature, Natural Science, Educational Institution
11	Restructuring a basic science course for core competencies: An example from anatomy teaching	2009	65	No encontradas
12	A didactic example of multilevel structural equation modeling applicable to the study of organizations	1997	63	No encontradas
13	Factors affecting the implementation of argument in the elementary science classroom. A longitudinal case study	2009	60	Embedded elements of argument, Science Writing Heuristic (SWH), Student voice, Teacher questioning
14	Currents in STSE education: Mapping a complex field, 40 years on	2011	52	No encontradas
15	The value of an emergent notion of authenticity: Examples from two student/teacher-scientist partnership programs	2003	49	No encontradas
16	Change in junior high school students' AIDS-related knowledge, misconceptions, attitudes, and HIV-preventive behaviors: Effects of a school-based intervention	1995	48	No encontradas
17	Reflective learning with drama in nursing education - A Swedish attempt to overcome the theory praxis gap	2004	46	Drama, Reflection, Lifeworld didactics, Caring science, Nursing education
18	The accommodation of science pedagogical knowledge: The application of conceptual change constructs to teacher education	1994	46	No encontradas
19	Bioliteracy and teaching efficacy: What biologists can learn fromphysicists	2003	45	Science literacy, Basic and advanced biological concepts, Learning assessment and evaluation, Misconceptions, Course transformation
20	Effects of an AIDS education program on the knowledge, attitudes and practices of low income black and Latina women	1990	44	Significant Gain, Group Design, Nutrition Program, Latina Woman, Group Woman
21	An epistemological approach to modeling: Cases studies and implications for science teaching	2008	43	Sin palabras clave

22	From traditional to patient-centered learning: Curriculum change as an intervention for changing institutional culture and promoting professionalism in undergraduate medical education	2007	42	Sin palabras clave
23	What's language got to do with it?: A case study of academic language instruction in a high school "English Learner Science" class	2007	39	English for academic purposes, Science education, Mexican immigrants, English learners, Discourse communities
24	Interprofessional collaboration: Three best practice models of interprofessional education	2011	34	Interprofessional, Healthcare teams, Collaboration, Interprofessional education, Interprofessional curricula models
25	Lack of interaction between sensing-intuitive learning styles and problem-first versus information-first instruction: A randomized crossover trial	2009	33	Cognitive style, Internet, Instructional method, Learning style, Medical education, Problem-based learning, Web-based learning

Entre los resultados más destacables que pueden extraerse de la tabla 4 es la gran diversidad en líneas de trabajo, dentro del campo de estudio, así como una gran disparidad de las palabras clave seleccionadas. Éstas, sin embargo y con respecto a las analizadas anteriormente, sí que acotan de forma más exacta los contenidos del trabajo. Entre esta diversidad de trabajos, los más citados en el campo de la Didáctica, se encuentran trabajos relacionados con estudios médicos, de gran interés social, como programas de prevención del VIH (artículo 1) o programas de educación sobre el Sida (artículo 20). Por otro lado, dentro de las palabras clave seleccionadas por los autores de estos artículos, sólo predomina, por su repetición en 3 artículos, "problem-based learning" (aprendizaje basado en problemas), una de las líneas "clásicas" de la Didáctica de las Ciencias y que se basa en la realización de tareas, casi siempre colaborativas, entre el alumnado para resolver cuestiones y/o problemas y así lograr un aprendizaje significativo.

Conclusiones

En el análisis mostrado, se han tenido en cuenta las líneas de investigación que han dado origen y base a la Didáctica de las Ciencias, disciplina reciente (según las publicaciones JCR indexadas y analizadas) que permite ahondar en las nuevas metodologías de referencia actual en el proceso de enseñanza-aprendizaje en el aula. En este trabajo, se han cotejado y analizado las publicaciones referentes a revistas indexadas en el índice JCR, con respecto a las palabras clave seleccionadas.

En los resultados obtenidos, usando solamente tres palabras clave ("didactic", "science", "education"), hemos podido extraer bastantes resultados analizando las publicaciones, en la base de datos Scopus. Así, se han cruzado datos con respecto a las publicaciones y afiliaciones, el país de procedencia de dichos artículos, la distribución radial de las palabras clave secundarias, la evolución de las palabras clave en los últimos diez años y las líneas de investigación en el campo de la Didáctica de las Ciencias en este último período. Si bien es un breve esbozo de la situación de este campo de estudio, el análisis planteado se puede llevar a otras áreas de conocimiento, ya que muestra un gran potencial a la hora de extraer datos significativos y poder realizar análisis cruzados de los mismos.

Referencias bibliográficas

Arencibia-Jorge, R. (2009). Nuevos indicadores de rendimiento científico institucional basados en análisis de citas: los índices H sucesivos. Revista española de documentación científica, 32(3), 101-106.

Arranz, M. (2003). Los filtros metodológicos y la Medicina Basada en la Evidencia (MBE). Pap Med, 12(1), 8-10.

Cabezas-Clavijo, A. y Delgado-López-Cózar, E. (2013). Google Scholar e índice h en biomedicina: la popularización de la evaluación bibliométrica. Medicina intensiva, 37(5), 343-354.

Calvache, J. A. y Delgado, M. (2006). El resumen y las palabras clave en la literatura médica. Revista Facultad de Ciencias de la Salud de la Universidad del Cauca, 8(1), 7-11.

Delgado, E. y Repiso, R. (2013). El impacto de las revistas de comunicación: comparando Google Scholar Metrics, Web of Science y Scopus. Comunicar, 21(41).

Dorta-González, P. y Dorta-González, M. I. (2010). Indicador bibliométrico basado en el índice h. Revista Española de Documentación Científica, 33(2), 225-245.

Gálvez Toro, A. y Amezcua, M. (2006). El factor h de Hirsch: the h-index: Una actualización sobre los métodos de evaluación de los autores y sus aportaciones en publicaciones científicas. Index de Enfermería, 15(55), 38-43.

García Río, F. (1999). Estrategia para la búsqueda bibliográfica eficiente. Bibliometría. Valoración crítica. *Arch Bronconeumol, 35* (Supl 1), 27-30.

Harzing, A. W. K. y Van der Wal, R. (2008). Google Scholar as a new source for citation analysis. Ethics in science and environmental politics, 8(1), 61-73.

Herrero Martínez, R. M. (2014). El papel de las TIC en el aula universitaria para la formación en competencias del alumnado. Pixel-Bit. Revista de Medios y Educación, (45).

Jorge, R. A., Solorzano, L. P. y Ruiz, J. A. A. (2004). Los filtros metodológicos como herramientas eficaces para la búsqueda de evidencias clínicas. Revista Cubana de Información en Ciencias de la Salud, 12(3), 4.

Pitkin, R. M., Branagan, M. A. y Burmeister, L. F. (1999). Accuracy of data in abstracts of published research articles. Jama, 281(12), 1110-1111.

Quindós, G. (2009). Confundiendo al confuso: reflexiones sobre el factor de impacto, el índice h (irsch), el valor Q y otros cofactores que influyen en la felicidad del investigador. Revista Iberoamericana de Micología, 26(2), 97-102.

Ruiz, A. P. (2011). El modelo docente universitario y el uso de nuevas metodologías en la enseñanza, aprendizaje y evaluación The educational model at university and the use of new methodologies for teaching, learning and assessment. Revista de educación, 355, 591-604.

Ruiz Manzano, J. (1999). Publicaciones biomédicas: normas generales, tipos de artículos, elección de la revista, proceso editorial. Arch Bronconeumol, 35(Supl 1), 34-7.

Salinas, J. (2004). Cambios metodológicos con las TIC. Estrategias didácticas y entornos virtuales de enseñanza-aprendizaje. Bordón, 56(3-4), 469-481.

Sanz-Valero, J., Veiga de Cabo, J., Rojo-Alonso, C., Wanden-Berghe, C., Espulgues Pellicer, J. X. y Rodrigues Guilam, C. (2008). Los filtros metodológicos: aplicación a la búsqueda bibliográfica en la medicina del trabajo española. Medicina y seguridad del trabajo, 54(211), 75-83.

CAPÍTULO II

ANÁLISIS BIBLIOMÉTRICO DE LA REVISTA *INDEX.COMUNICACIÓN* (2011-2017). ESTRATEGIAS DE POSICIONAMIENTO INICIAL

Belén Puebla Martínez
Universidad Rey Juan Carlos, España
Elpidio del Campo Cañizares
Universidad Miguel Hernández, España
Pedro Pérez Cuadrado
Universidad Rey Juan Carlos, España

Resumen

Cuando sale a la calle *index.comunicación,* en 2011, apenas un puñado de revistas científicas aparecen registradas en los repositorios e índices especializados en el área de Comunicación. InRecs únicamente consideraba 24 títulos en su última actualización de 2010 y la distancia con cualquier otro ámbito de las Ciencias Sociales (Economía (136), Sociología (82), Urbanismo (43), etc.) se revelaba abismal. En 2017, el Observatorio en revistas científicas de Ciencias Sociales, considera 69 cabeceras en la categoría de revistas de comunicación. El aumento, sin ser significativo (por la diversidad y diferente exigencia de las fuentes, principalmente), sí sugiere un mayor interés investigador en los aspectos de la Comunicación, en general. Incluida desde su nacimiento en la Plataforma Latina de Revistas de Comunicación (Platcom), una asociación de editores fomentada desde Revista Latina de Comunicación Social y su director, José Manuel de Pablos Coello —que supo ver la necesidad de crear nuevos soportes para los investigadores—, *index.comunicación* ha tratado de hacerse un hueco entre las publicaciones de referencia que, con mayor bagaje y vida, marcan el camino hacia una internacionalización irremediable para constar los posibles éxitos. Este trabajo, de índole fundamentalmente —pero no únicamente— cuantitativa, propone un análisis bibliométrico sobre los datos extraídos de la cabecera en cuestión en sus siete primeros años de vida: artículos, categorías, visitas, descargas, autores... para constatar una línea ascendente moderada —pero constante y continuada— en los resultados conseguidos.

Palabras claves

Publicaciones científicas; Comunicación; índices de impacto; *index.comunicación.*

1. Introducción

La primera década del siglo XXI aún mantenía una escasez endémica de revistas científicas especializadas en Comunicación en España que las facultades de Periodismo y Comunicación Audiovisual públicas y privadas no habían conseguido mejorar desde su fundación a principio de los años setenta del siglo anterior.

Aunque era cierto lo que apuntaban Martínez Nicolás y Saperas (2011: 102) sobre que "la emergencia de la investigación sobre comunicación como ámbito de interés científico en España se remonta no mucho más allá de la década de los setenta del siglo pasado, impulsada por la institucionalización universitaria de estos estudios", ésta no había conseguido elevar el listón más allá de unos pocos resultados.

Los índices de referencia –entre ellos In-Recs era el principal, y se venía elaborando en la universidad de Granada desde 1996– sólo habían conseguido sumar una veintena de referencias cuya comparación con otras disciplinas se antojaba ridícula.

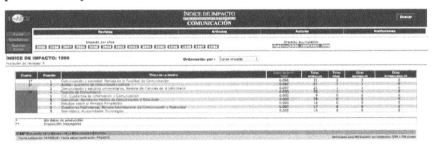

Indice In-Recs en su primera publicación de 1996. Nueve publicaciones listadas.
En línea desde: http://ec3.ugr.es/in-recs/ii/Comunicacion-fecha-1996.htm

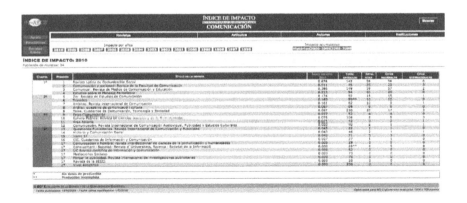

Indice In-Recs en su última actualización de 2010. El número de revistas sube a 24.
En línea desde: http://ec3.ugr.es/in-recs/ii/Comunicacion-2010.htm

Todo esto denotaba un panorama muy escaso de publicaciones dentro de la especialidad que algunos autores ya habían denunciado reiterativamente: Herrero *et al.* (2011 y 2012), Martínez Nicolás (2009 y 2011) Oller, Segarra y Plaza (2012) o Saperas (2011).

Y seguía valiendo la premisa primera de que:

> "La investigación española sobre comunicación no ha sido pródiga en tomarse a sí misma por objeto de estudio y reflexionar sobre sus intereses de conocimiento y prácticas científicas, sobre los saberes que genera, las aportaciones realizadas, las carencias en que incurre o las condiciones en las que trabajan los investigadores" (Martínez Nicolás, 2009: 2).

En este estado de la cuestión, 2010 resulta un año emblemático debido a la iniciativa de algunos editores para incrementar el panel de publicaciones a través de un proyecto que se impulsa desde la Sociedad Latina de Comunicación Social (Herrero *et al.*, 2012):

> A través de dicho proyecto se propuso que cada una de las principales revistas científicas en el ámbito de la Comunicación en España 'apadrinara' la aparición de otras revistas con el fin de aumentar el universo existente en esta disciplina de las Ciencias Sociales, no demasiado amplio en España y que ocupa la última posición –en cuanto al universo se refiere– de las diez disciplinas de las Ciencias Sociales según la base de datos sobre las que trabaja INRECS (Índice de Impacto de las Revistas Españolas de Ciencias Sociales). Así, *Revista Latina de Comunicación Social* impulsó la aparición de ocho revistas. Seis de ellas nacieron en 2010.

Ese año nacieron efectivamente Revista Mediterránea de Comunicación, en la Universidad de Alicante; Miguel Hernández Communication Journal, en la Universidad Miguel Hernández de Elche; Pangea, Revista de la Red Académica Iberoamericana de Comunicación; Fonseca, Journal of Communication, en la Universidad de Salamanca; Fotocinema: Revista Científica de Cine y Fotografía, en la Universidad de Málaga; y TecCom Studies: Estudio de Tecnología y Comunicación, en la Universidad Complutense de Madrid. Ninguna de ellas llegó a figurar en el índice de referencia In-Recs porque éste cesó su actividad con la última actualización de 2010 a la que antes nos hemos referido. Sin embargo, supusieron la apertura de un campo hasta entonces bastante cerrado y rápidamente se situaron en diversos rankings, tanto de instituciones nacionales como internacionales. A día de hoy, hay que destacar, sobre todo, los casos de Mediterránea (de la Universidad de Alicante) y Fonseca (de la Universidad de Salamanca), porque, entre otros logros, mantienen un alto número de citas en Google Schoolar, forman parte de las revistas emergentes de Thomson Reuters, están integradas en índices y repositorios relevantes y ambas mantienen edición bilingüe español-inglés.

No es cierto, sin embargo, lo que apuntan Herrero *et al.* (2012: 71) sobre 'el impulso' de la Sociedad Latina de Comunicación Social para el nacimiento de una séptima revista, *index.comunicación,* cuyas raíces primeras están en el departamento de Ciencias de la Comunicación I de la Universidad Rey Juan Carlos y que fue, eso sí, inmediatamente invitada a unirse a la Plataforma Latina de Revistas en Comunicación, de cuyos beneficios y aprovechamiento de sinergias disfruta desde el mismo año de su fundación en 2011.

Posteriormente se fueron añadiendo otras cabeceras y en la actualidad se con contabilizan 11 con la entrada de: (*Communication papers: Media Literacy & Gender Studies* a partir de 2012) se fueron añadiendo otras cabeceras. En la actualidad se contabilizan 11 con la entrada de *Redes.com, Cibercomunicación, Comunicação e Sociedade* y *Sphera Pública.*

2. El nacimiento de *index.comunicación*

La revista *index.comunicación* nace en 2011 por encargo directo del entonces decano de la Facultad de Ciencias de la Comunicación de la Universidad Rey Juan Carlos, el doctor Antonio García Jiménez, con la idea de constituir un órgano de referencia a la altura de otras revistas sobre Comunicación en el panorama universitario español que, por entonces, no alcanzaban, como hemos visto, más de treinta cabeceras.

En la idea inicial del proyecto se congregó un grupo de profesores de la facultad que pertenecían a los dos departamentos entonces existentes (Comunicación 1 y Comunicación 2), quienes aportaron diferentes soluciones de actuación.

Entre los profesores implicados en esta primera etapa figuraban:

Joaquín López del Ramo, Manuel Montes Vozmediano, Jesús del Olmo Barbero, Pedro Pérez Cuadrado, Pablo Prieto, Belén Puebla Martínez, Teresa Rodríguez García, Ricardo Roncero Palomar, José Carlos Sendín y Ricardo Vizcaíno Pérez-Laorga.

Y algunas de las decisiones tomadas de común acuerdo en aquellos principios fueron las de:

1. Alojar la revista **en un servidor externo** a la universidad por varias razones: evitar las caídas de la red de la universidad que, por entonces, eran frecuentes (sobre todo los fines de semana); no implicar al personal técnico de la URJC que estaba dedicado a temas docentes o de otra índole; no interferir con *software* de edición y gestión que pudiera no ser compatible al cien por cien con lo ya establecido.

2. Buscar un *software* **y alojamiento que permitiera el manejo de la plataforma sin contratar especialistas** que tuvieran que intervenir sobre la gestión diaria y, lo que era más importante, **evitar tener que realizar nosotros la actualización de programas** que, como viene siendo habitual, cada cierto tiempo, incluyen versiones de mejora a las que no queríamos renunciar de salida.

3. Plantear una **revista profesional** a la altura de las ya existentes, dentro del sistema académico en vigor (revisión ciega por pares, publicar en otros idiomas además del castellano, agilidad en la gestión autor-revisor-editor para reducir tiempos de espera, etc.).

4. Nacer en el **entorno digital** sin perder de vista la posibilidad de saltar al mundo de lo impreso siempre que los recursos económicos no supusieran un lastre insalvable.

5. Evitar, en la medida de lo posible, la publicación de autores de la propia universidad que pudieran dar la idea de una revista endogámica y, como tal, no fuera considerada dentro de los ámbitos académicos.

6. Buscar un nombre fácil de recordar y que no restringiera los temas de los artículos, investigaciones, ensayos o *papers* que los futuros autores hicieran llegar a la revista. Después de un plazo de proposiciones se llegó al acuerdo de la denominación: *index.comunicación.*

Al mismo tiempo, y con el proyecto ya en marcha, la revista recibe una invitación del director de *Revista Latina de Comunicación Social,* el catedrático de La Laguna, profesor José Manuel de Pablos Coello, para formar parte de una plataforma de revistas de Comunicación que, a la sombra de la revista fuente, incrementara el número de publicaciones en esta especialidad y ofreciera posibilidades de publicación a una cierta cantidad de profesores y alumnos pre y post doctorales para desarrollar sus investigaciones.

En dicha asociación (Plataforma Latina de Revistas de Comunicación) ya se encontraban algunas cabeceras que ya hemos mencionado.

Con todo este bagaje de salida, y una investigación previa de carácter utilitario, la actuación se centró, con la participación de todos los implicados, en los siguientes pasos:

1. Pedir el registro de la cabecera en cuestión para oficializar el nacimiento como revista universitaria de investigación en comunicación aplicada.

2. Contratar el alquiler (previa consulta al decano sobre el compromiso de la facultad a correr con los gastos) de la plataforma de alojamiento en la misma universidad que ofrecía el *software* de gestión que se consideró más adecuado: PKP Publishing Services, creadores del sistema de edición OJS (Open Journal Services) sobre los servidores de la Universidad Simon Fraser de Canadá. Quien a través de la SFU Library ofrece el mantenimiento completo de sus sistemas *online* 24/7 por la cantidad de 850 dólares al año.

3. Reclutar un número de revisores especializados en diferentes temas que pudieran hacer frente a los primeros trabajos que llegaran. Del mismo modo, y con acuerdo unánime, se consideró encargar un primer trabajo a un experto de reconocido prestigio. Por recomendación del profesor López del Ramo, la invitación se hizo al profesor de Periodismo Joao Canavilhas, de la Universidade da Beira Interior, en Covilhã, Portugal. Del acierto de esta decisión es prueba que el primer trabajo publicado, "El nuevo ecosistema mediático", sea el artículo más citado de la revista en sus siete años de historia según el índice Google Scholar, donde ha sido referenciado en casi un centenar de ocasiones.

4. Acogerse al aprovechamiento de sinergias que ofrecía la Plataforma Latina de Revistas de Comunicación para la difusión del material publicado, sus autores y cuantas ventajas como colectivo pudiera procurar. A día de hoy, la plataforma cuenta con once cabeceras de diversas universidades españolas, entre las que ocupa un lugar relevante *index.comunicación*. Se puede acceder desde aquí: http://plataformarevistascomunicacion.org/

5. Formar un equipo corto de implicados en el día a día de la revista para labores de gestión, organización de números monográficos, edición, maquetación, corrección y contacto con los autores que eliminara tiempos muertos y tuviera como premisa importante atender las necesidades puntuales de cada lector, revisor, autor y editor de *index.comunicación*.

Después de siete años (con siete números ordinarios y otros siete monográficos), *index.comunicación* se ha introducido en un buen número de índices y repositorios de referencia entre los que podemos destacar: Journal Scholar Metrics (puesto 216 de las 311 revistas de comunicación mundiales registradas; y puesto 20 de las 50 españolas, en 2014); Thomson Reuters (ESCI Emerging Sources Citation Index); Dialnet; Dulcinea; Rebiun MIAR (con un índice ICDS de 7,2 en 2016); REDIB; DICE (con un índice de internacionalidad en las contribuciones de 35,71 en 2013); RESH (categoría C, con 14 criterios de la CNEAI; 14 criterios de la ANECA; y 36 sobre 36 de Latindex); Latindex (con 36 criterios cumplidos sobre 36); CSIC-ISOC;

DOAJ; Sherpa/Romeo; BNE; Google Scholar (con un índice h-index de 7 y un i10-index de 3. Y un total de 297 citas atribuidas); EBSCO; Infobaseindex; Observatorio de revistas científicas en ciencias sociales; ErihPlus (European Reference Index for the Humanities and Social Science); CIRC (Clasificación en Ciencias Sociales, C; clasificación en Humanidades, C). También figura en el índice francés SUDOC (un catálogo de Documentación de la Universidad francesa producida por las bibliotecas y centros de documentación de la educación superior y la investigación); en **SUCUPIRA (una base** de datos y clasificación de publicaciones periódicas del Ministerio de Educación de Brasil, donde ocupa la categoría B3 en el periodo 2013-2016); y en **ICI Journals Master List 2016 (una b**ase de datos jerarquizada avalada por Index Copernicus Internacional, con un ICV (Index Copernicus Value) para 2016 de **82.55.**

3. Fundamentos teóricos de la bibliometría

La cuantificación de los procesos de documentación de cualquier revista o institución científica deben apoyarse en métodos de estadística multidimensional (*multivariate data analysis*) y se han de basar en tres grandes ámbitos: la cienciometría, la infometría y la bibliometría[1] (Faba Pérez, Guerrero Bote y Moya Anegón, 2004).

La cienciometría, también denominada cienciología, cientometría o ciencimetría, tiene su origen en el estudio de la historia de la ciencia y, por ende, en el proceso que se ha desarrollado en la ciencia a lo largo del tiempo, su nivel de progreso y su impacto y relevancia en la sociedad.

Por su parte, para muchos autores la infometría está entre medias de la cienciometría y la bibliometría (Trillo, 2008: 172). Para Turner (1994), la infometría utiliza ambos conceptos para estudiar en impacto de los flujos informativos en la organización social de la producción del conocimiento.

Por último, encontramos el concepto de bibliometría, que es en el que nos vamos a centrar para este trabajo. Para definir el término de bibliometría repasamos las definiciones que recoge en su tesis Trillo (2008: 171):

> El término hace referencia a la aplicación de términos estadísticos y matemáticos dispuestos para definir los procesos de la comunicación escrita y la naturaleza y desarrollo de las disciplinas científicas, mediante el recuento y análisis de las distintas facetas de dicha comunicación

---

[1] También podemos hablar de la cibermetría y la webmetría, ambas disciplinas destinadas al estudio en Internet. En palabras de Björneborn, (2002) "La cibermetría es el estudio de los aspectos cuantitativos de la construcción y uso de los recursos de información, estructuras y tecnologías en Internet, desde perspectivas bibliométricas e infométricas. [...]. La webmetría es el estudio de los aspectos cuantitativos de la construcción y uso de los recursos de información, estructuras y tecnologías en la Web, desde perspectivas bibliométricas e infométricas".

(Pritchard, 1969); en 1978, Garfield y sus colaboradores la definen como la cuantificación de la información bibliográfica susceptible de ser analizada (Garfield, Malin y Small, 1978); Lara la considera como el estudio de lo producido, difundido o utilizado por los creadores, difusores o utilizadores de la Ciencia (Lara, 1983); y Sancho lo entiende como una disciplina científica que estudia las características y el comportamiento de la Ciencia y la Tecnología a través de publicaciones científicas (Sancho, 2001 en Trillo, 2008: 171).

Por tanto, entendemos que la bibliometría es el conjunto de conocimientos metodológicos que, mediante la aplicación de técnicas cuantitativas, es destinado al análisis de los procesos de producción, comunicación y uso de la información científica —sea cual sea su disciplina— con el objetivo de contribuir al registro, identificación y análisis de la ciencia y la investigación y cuyo fin es conocer las tendencias y las regularidades de los textos estudiados.

Como vemos, las tres disciplinas están interrelacionadas y, como reconocen Faba Pérez, Guerrero Bote y Moya Anegón (2004) "mientras la bibliometría estudia aspectos cuantitativos de la producción, difusión, y uso de la información impresa y la cienciometría analiza los aspectos cuantitativos de la Ciencia como una disciplina o actividad económica, la infometría va más allá estudiando todos los aspectos cuantitativos de los procesos informativos en general, incorporando, utilizando y sobrepasando las fronteras de la bibliometría y de la cienciometría".

Centrándonos en la bibliometría, y siguiendo a Polanco (1997), podemos hablar de tres niveles de lectura. Por una parte, el análisis de documentos (nivel 1 o bibliográfico), por otra, de autores o investigadores (nivel 2 o sociológico) y, por último, el estudio del conocimiento que estos producen y difunden a través de sus textos (nivel 3 o del conocimiento objetivo). En este trabajo intentaremos dar respuesta a los tres niveles a los que nos enfrentamos.

Para llevar a cabo un análisis bibliométrico y, debido a su naturaleza multidisciplinar, es necesario utilizar las técnicas de la estadística, como comentamos anteriormente, el uso de la informática para construir los resultados de los estudios a través de hojas de cálculo, además de la utilización de los documentos primarios de la Sociología, que permiten saber preguntar implícitamente a la información que contienen los documentos que se analizan (Carrizo, 2000).

Para la comprobación de las tendencias y comportamientos estadísticamente regulares de la producción de información científica se han de formular las siguientes leyes bibliométricas: la ley de la productividad de los autores; la ley de la dispersión de la bibliografía científica; la ley del crecimiento exponencial y la ley de la obsolescencia de la bibliografía científica (Ardanuy, 2012). Y para llevar a cabo estas leyes son necesarios un conjunto de indicadores que permitan expresar las características bibliográficas de los documentos estudiados. Estos indicadores son: personales (tales como la edad, el sexo, la posición profesional, el país, la afiliación institucional...); de producción (número de publicaciones); de dispersión (comunicaciones que constituyen una disciplina); de visibilidad o impacto (influencia de los autores y de sus trabajos); de colaboración (proporción de textos con más de un autor); de obsolescencia (envejecimiento precoz de la literatura científica); y de la forma y el contenido (diferentes tipologías y soportes documentales) (Ardanuy, 2012).

Las aportaciones aquí recogidas nos servirán para orientar nuestro análisis, si bien los datos recogidos limitan los elementos de análisis sobre los que nos podemos fijar. Sin embargo, esta información es suficiente para hacer un análisis bibliométrico que arroje información relevante sobre el trabajo realizado por los investigadores de la comunicación que han publicado sus trabajos en nuestra revista objeto de estudio.

4. Objetivos del estudio

Este trabajo pretende una revisión de los siete años de publicación de la revista después de analizar los resultados obtenidos y del posicionamiento de la publicación en diferentes índices y repositorios. Así, se presenta un análisis cuantitativo que engloba los trabajos publicados, los autores, los países de procedencia de estos y las temáticas abordadas. Como objetivos específicos, entonces, desarrollamos los siguientes:

1. Comprobar el país de procedencia de los autores y, en el caso de España, el desglose por comunidades autónomas.

2. Identificar los temas y la tipología de los estudios trabajados por los autores.

3. Observar si existe paridad de género de los autores.

Del mismo modo, interesa sobremanera el alcance de la difusión de contenidos de la revista en base a las descargas que los usuarios efectúan. También serán objetivos específicos entonces:

1. Desde dónde llegan los enlaces que procuran atención a los diferentes apartados de la revista.

2. El número de descargas totales en los periodos considerados, las descargas por número publicado y, por supuesto, los artículos más descargados.

3. La evolución de los últimos años en el número de descargas.

5. Metodología

Para realizar la investigación, utilizamos las ciencias métricas que permiten el análisis y el registro de los procesos de comunicación generados, en este caso, en los 14 números publicados hasta ahora (siete ordinarios y siete monográficos) en la revista *index.comunicación*. De esta forma, partiremos de un análisis descriptivo que nos va a mostrar las tendencias y regularidades de los trabajos presentados y aceptados para publicación, tanto en lo que a autores se refiere, como a los temas de los que se ocupan, además de identificar los contenidos más representados mediante la ordenación, la clasificación y la exposición de los datos obtenidos.

6. Muestra

Como hemos comentado anteriormente, la revista *index.comunicación* llega a 31 de diciembre de 2017 con un fondo de 14 números, de los cuales siete pertenecen al ordinario anual que mantiene abierto de enero a diciembre cada año desde 2011 y otros siete a números monográficos puntualmente anunciados y publicados.

Tabla 1. Números publicados (a 31 de diciembre de 2017)

	2011	2012	2013	2014	2015	2016	2017
Ordinarios	1	1	1	1	1	1	1
Monográficos			1	1	2	1	2

Tabla 2. Trabajos gestionados (a 31 de diciembre de 2017)

	2011	2012	2013	2014	2015	2016	2017
Envíos	16	19	52	52	41	59	58
Evaluados	13	13	39	36	29	34	47
Aceptados	7 (54%)	8 (62%)	21 (54%)	23 (64%)	18 (62%)	21 (62%)	27 (57%)
Rechazados	6 (46%)	5 (38%)	18 (46%)	13 (36%)	11 (38%)	13 (38%)	20 (43%)
Días hasta publicación	37	34	39	64	78	85	88

Tabla 3. Trabajos publicados (a 31 de diciembre de 2017)

	2011	2012	2013	2014	2015	2016	2017
Evaluación positiva por pares	6	8	20	21	19	21	29
Firmas invitadas	-	-	-	-	4	4	1
Comunicaciones de interés	-	-	1	6	2	5	2
Reseñas	2	6	8	6	8	13	3
Total	8	14	29	33	33	43	35

La disparidad entre los datos de las tablas 2 y 3 se debe a que los trabajos gestionados y aceptados en un año pueden no coincidir con los publicados porque hay trabajos que llegan y se gestionan en un año y son publicados al siguiente.

Esos 14 ejemplares ofrecen un total de 124 artículos y 186 autores que constituyen la base de la muestra principal sobre la que se desarrolla el análisis. Estos primeros parámetros avalan la idea de una trayectoria consolidada dentro de los estudios sobre comunicación aplicada y proporcionan una cantidad modesta —pero suficiente— de registros para evaluar. Además, no nos obliga a acotar —ni en espacio ni en tiempo— los elementos considerados y podemos decir que el estudio se refiere al universo de artículos publicados en la revista.

7. Resultados

Tras exponer la metodología empleada y la muestra, pasamos a analizar los hechos más relevantes recogidos tras la codificación. Se trata, no sólo de presentar datos numéricos sin mayor profundización, sino de buscar explicaciones plausibles al comportamiento numérico y razones de cierta envergadura que ayuden a dibujar la calidad del sistema editorial donde se mueve la publicación.

Analizaremos pues dichos datos desde una doble perspectiva. De un lado, interesa la parte que emite los mensajes, es decir, quién publica y qué se publica. Aquí encontramos todo lo referente a autores, procedencia y filiación de estos o las materias que se abordan. Por otro lado, investigamos igualmente quiénes están interesados en los contenidos publicados, con base en el número de visitas y/o descargas que se efectúan, desde dónde y con qué frecuencia afecta a determinados contenidos.

En todos los casos siguientes el cálculo se ha efectuado con base a los propios datos —informes personalizados— que genera la plataforma OJS y los matices que proporcionan plataformas externas como Academia.edu en la que figura la revista desde 2012[2].

Es evidente que los datos, tomados tal cual, pueden falsear resultados previos si no tenemos en cuenta ciertas premisas y los consideramos de manera relativa. Por ejemplo, el factor tiempo (desde cuándo llevan los artículos en línea) ofrece ventajas evidentes a los más antiguos y, dado que los artículos se fueron publicando de forma progresiva, en buena lógica, cuantos más artículos se acumulen más datos sobre visitas, descargas, etc. se van a contabilizar.

7.1 Por procedencia de los manuscritos

En primer lugar, podemos trazar una panorámica de la procedencia de los manuscritos que llegan a la revista y son publicados. Así, de los 186 autores que envían sus trabajos, 134 son españoles (un 72 por ciento), lo que supone casi un 30 por ciento de internacionalidad.

Gráfico 1. Valor porcentual de internacionalidad (a 31 de diciembre de 2017)

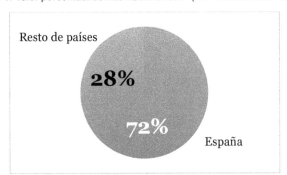

---

[2] Aunque se empezaron a subir los artículos progresivamente desde 2012, actualmente hay 107 artículos (de un total de 194 a 31 de diciembre de 2017). Esta no coincidencia no afecta a los resultados obtenidos dado que los cálculos se han efectuado sobre los últimos tres años (julio de 2015 a diciembre de 2017) y las variaciones, en términos porcentuales, no resultan profundamente afectadas.

Tabla 4. Procedencia de los artículos publicados (2011-2017)

País	Total	%
España	134	72,04
Ecuador	8	4,30
Brasil	6	3,23
México	6	3,23
Colombia	5	2,69
Cuba	5	2,69
Portugal	4	2,15
Costa de Marfil	3	1,61
Chile	3	1,61
EE. UU.	3	1,61
Gabón	2	1,08
Camerún	1	0,54
Alemania	1	0,54
Argel	1	0,54
Kenia	1	0,54
Nigeria	1	0,54
Tanzania	1	0,54
Reino Unido	1	0,54
Total	186	100,00

Aunque los valores que se desprenden de este estudio tienen como origen los propios datos que gestiona la plataforma OJS, se hace necesaria la comparación con otras fuentes. En este particular caso, el índice de Difusión y Calidad de las Revistas Españolas de Humanidades y Ciencias Sociales (DICE), en su actualización de enero de 2013, considera un grado de internacionalidad de las contribuciones para nuestra revista de 35,71, lo que supera nuestros propios cálculos.

Gráfico 2. Reparto por continentes de los artículos publicados (2011-2017)

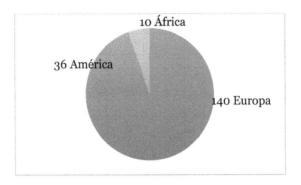

Lo que más llama la atención de este baremo no es el hecho en sí de la internacionalidad alcanzada —por encima de la media en otras revistas del sector—, ni que muchos de los trabajos provengan del entorno sudamericano –que se explica gracias al idioma común–. Resulta cuando menos sorprendente el número de los artículos procedentes del continente africano. Y el interés que despiertan entre los lectores. La plataforma Academia.edu (2017) contabiliza dos artículos con origen en África[3] entre los cinco más descargados de la revista y advierte un interés creciente de contactos desde países africanos, fundamentalmente desde Kenia.

Hay una razón aparente que explica esta tendencia. Después de dos años en línea, en 2013, *index.comunicación* estableció un acuerdo de colaboración con la Cátedra Unesco de Comunicación y África —de la Universidad Rey Juan Carlos—, a través de su directora, la catedrática Carmen Caffarel, para la realización de números monográficos coordinados por el profesor José Carlos Sendín, experto africanista recientemente fallecido. Desde entonces la revista ha realizado cuatro números especiales: el primero, 'New (¿) African Communicationt Enviroment'; el segundo, 'África con eñe'; el tercero, 'Una nueva formación a la altura del Periodismo'; y el cuarto, 'Comunicación, igualdad y desarrollo'. Podemos afirmar, sin lugar a dudas, que estos monográficos han elevado considerablemente los baremos de internacionalización de la revista al acoger entre sus autores a destacados profesores de universidades importantes en EE.UU., Reino Unido, Brasil, Portugal,

---

[3] En concreto, 'China and the African Internet: Perspectives from Kenya and Ethiopia' (primer lugar), de Iginio Gagliardone, y 'The Ethnic Hate Speech was Networked: What Social Media Online Political Discussions Reveal about the 2013 General Elections in Kenya' (cuarta posición), de Jacinta Mwende Maweu.

Costa de Marfil, Kenya, Tanzania, Argelia, Gabón, Cuba, Nigeria, Túnez y Senegal, además de relevantes autores españoles.

Respecto a la procedencia interna de los autores que firman los manuscritos —segmentado por comunidades autónomas— es Madrid la que aporta un mayor número de originales, seguido por la Comunidad Valenciana. Después, Cataluña y Andalucía empatan en aportaciones.

Tabla 5. Origen de manuscritos por comunidades autónomas (a 31 de diciembre de 2017)

Comunidad Autónoma	Total	%
Madrid	57	30,65
Resto del mundo	53	28,49
Comunidad Valenciana	18	9,68
Castilla - León	15	8,06
Andalucía	10	5,38
Cataluña	10	5,38
Galicia	7	3,76
La Rioja	4	2,15
Islas Canarias	3	1,61
Aragón	2	1,08
Extremadura	2	1,08
Murcia	2	1,08
País Vasco	2	1,08
Cantabria	1	0,54
Total	186	100,00

7.2 Por la materia que abordan los trabajos

En un segundo orden de datos, abordamos las materias que, dentro del ámbito temático de la revista, resultan más recurrentes en las aportaciones publicadas. Para ello se han codificado todas las palabras clave de los artículos incluidos en los respectivos números. Seguidamente se han recodificado por grandes áreas temáticas. Se manifiestan así con mayor incidencia los temas de Comunicación Audiovisual y Periodismo —en general—, seguidos por disciplinas afines como la Educomunicación, la Lengua o el Diseño —como vehículos de comunicación aplicada contrastados—.

Tabla 6. Categorías de materias en los artículos publicados (a 31 de diciembre de 2017)

Temática	Total	%
Audiovisual	30	24,19
Comunicación	23	18,55
Diseño	7	5,65
Documentación	3	2,42
Educación	15	12,10
Historia	4	3,23
Lengua	9	7,26
Periodismo	28	22,58
Publicidad	5	4,03
Total	**124**	**100,00**

En cuanto al tipo de investigación aplicada, abundan ligeramente más los trabajos empíricos (55 por ciento) sobre los puramente teóricos. En este caso, entendemos por trabajo empírico aquel que presenta una metodología de investigación contrastada y, por consiguiente, se somete al formato académico IMRyD: introducción, metodología, resultados y discusión, frente a los trabajos que se centran más en investigaciones documentales o históricas y, por tanto, se presentan con una estructura menos sistematizada.

Tabla 7. Tipo de investigación aplicada (a 31 de diciembre de 2017)

Tipo de investigación	Total	%
Empírica	69	55,65
Teórica	55	44,35
Total de artículos	**124**	**100,00**

7.3 Datos específicos sobre los autores

En cuanto al género de los autores publicados podemos asegurar un equilibrio absoluto. Mitad y mitad, los autores y autoras se dividen al cincuenta por ciento.

Tabla 8. Autores por género (a 31 de diciembre de 2017)

Sexo	Total	%
Hombres	93	50
Mujeres	93	50
Total	**186**	**100**

El número de autores por artículo muestra una clara tendencia por el trabajo individual con más del 60 por ciento de firmas únicas. De lejos (algo más del 20 por ciento) siguen los trabajos firmados por dos autores. Tres autores sólo firman el 11 por ciento. Más de tres autores es residual.

Tabla 9. Autoría (a 31 de diciembre de 2017)

Autoría	Total	%
Un autor	80	64,52
Dos autores	28	22,58
Tres autores	14	11,29
Cuatro autores	2	1,61
Total artículos	124	100,00

7.4 Sobre la difusión de contenidos

Hemos considerado una única constante para evaluar la difusión continuada de la revista: el número de descargas y la procedencia de estas. No hemos considerado, a pesar de contar con los datos, las visitas a la página principal ni las visitas localizadas a los resúmenes. Ambos datos son ambiguos e inexactos por dos razones: primera, los lectores no acceden a los artículos necesariamente a través de la *home* como demuestra el estudio de Academia.edu (tabla siguiente) y, segunda, la lectura del resumen de un trabajo muchas veces agota la consulta del usuario, lo que significa un desinterés manifiesto y no genera mayor tráfico.

Tabla 10. Origen del enlace a los artículos de *index.comunicación* publicados en Academia.edu (a 31 de diciembre de 2017)

Origen enlace	Visitas	Porcentaje
Google	2.647	49,99%
Sin identificar	1.258	23,76%
Academia.edu	823	15,54%
Google Scholar	90	1,70%
Facebook	81	1,53%
Otros buscadores	77	1,45%
Bing	69	1,30%
Yahoo	67	1,27%
Correo Outlook	47	0,89%
Twitter	44	0,83%
Correo GMail	23	0,43%
Enlace de correo Live	19	0,36%
Yahoo Mail	14	0,26%
Aula Global Pompeu Fabra	13	0,25%
Home Index Comunicación	12	0,23%
Correo Yahoo	7	0,13%
Red VK	2	0,04%
Webmail	2	0,04%

Los números en esta tabla dejan ver claramente la escasa importancia de la página principal de la revista a la hora de llegar hasta los artículos publicados en Academia.edu (0,23 por ciento) y, sin embargo, en cabeza, encontramos a Google (casi el 50 por ciento) que se revela imbatible. Y el buen trabajo de la publicación en las redes sociales, con Facebook en quinto lugar y un 1,53 por ciento. A 31 de diciembre de 2017, la revista (*@IndexComu*) cuenta en Facebook con 1.337 seguidores y un total de 1.327 "Me gusta". Por su parte, en Twitter (*@IndexComu*) es seguida por 1.551 *followers*.

7.4.1 Número de descargas

Segmentados por números publicados (14), los datos sobre descargas de artículos se muestran explícitos: mejor los números ordinarios anuales que los monográficos, a excepción del 6.2, dedicado a las series de televisión y la ficción que ofrece el mejor resultado de la serie.

Tabla 11. Descargas de artículos por número. Contabiliza solamente entre julio de 2015 y diciembre de 2017

Número		Descargas
1.	Ordinario 2011	3.080
2.	Ordinario 2012	1.811
3.1	Ordinario 2013	2.381
3.2	New(?) African Communication Environment	2.832
4.1	Ordinario 2014	2.520
4.2	África con eñe	1.700
5.1	Ordinario 2015	3.226
5.2	Una nueva formación a la altura del Periodismo	1.450
5.3	Perspectivas de la documentación informativa	1.836
6.1	Ordinario 2016	3.233
6.2	TV Series. Ficciones de nuestro tiempo	5.692
7.1	Ordinario 2017	2.885
7.2	Cine y Vanguardias artísticas	959
7.3	Comunicación, igualdad y desarrollo	1.874
	Total	35.479

Gráfico 3. Descargas de artículos por número. Contabiliza solamente entre julio de 2015 y diciembre de 2017

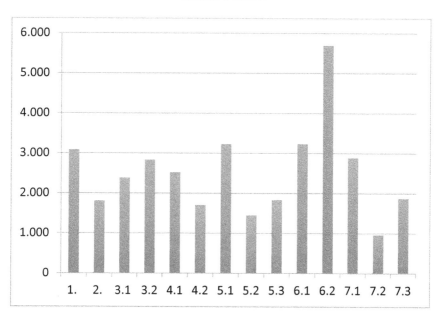

La evolución de los dos últimos años muestra un ascenso continuado moderado, con picos sistemáticos a la salida de especiales y monográficos los meses de mayo y/o octubre, como se ve en el gráfico siguiente.

Gráfico 4. Evolución de las descargas mensuales. Elaboración propia a partir de los datos de la propia plataforma de OJS

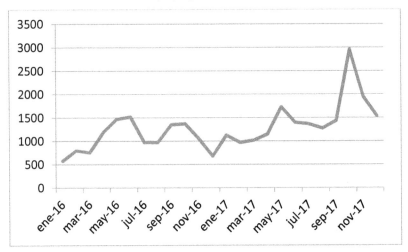

La comparativa de los dos años –por mensualidades– resulta ampliamente favorable a 2017, con excepciones muy puntuales: abril y junio.

Gráfico 5. Comparativa de descargas mensuales de los dos últimos años.

Elaboración propia a partir de los datos de la propia plataforma

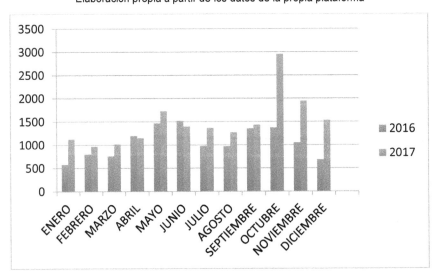

7.4.2 Procedencia de las descargas

La serie de países de procedencia de las descargas la encabeza, como es de rigor, España, seguida de Estados Unidos, China y México. Entre los países sudamericanos, de mayor a menor, Colombia, Argentina, Perú y Ecuador. En Europa destaca Alemania, Francia y Reino Unido.

Tabla 12. Descargas por países. Contabiliza solamente entre julio de 2015 y diciembre de 2017

Porcentajes de cada país		Número total
28,69%	España	10.175
13,44%	Estados Unidos	4.768
8,50%	China	3.016
6,50%	México	2.305
5,86%	Alemania	2.077
4,19%	Colombia	1.487
3,85%	Argentina	1.356
2,90%	Perú	1.029
2,75%	Ecuador	974
2,67%	Francia	804
1,91%	Reino Unido	679
1,68%	Chile	596

7.4.3 Los artículos más destacados

Una vez visto el número de descargas y la procedencia de estas, parece de rigor acercarse a establecer una clasificación de cuáles han sido los artículos más requeridos por los lectores.

Tabla 13. Artículos más descargados. Contabiliza solamente entre julio de 2015 y diciembre de 2017

Artículo publicado	Número	Descargas
El 'leit motiv' de la estética de Pedro Almodóvar analizado a través de la cartelística de su obra	1	1.268
La dimensión social de los videojuegos online: de las comunidades de jugadores a los e-sports	5.1	1.005
Narrativas transformadoras y testimonio ético: las estrategias discursivas de la Plataforma Feminista 7N, Contra las Violencias Machistas	5.3	773
El nuevo ecosistema mediático	1	758
'A Photographic Scramble through Spain': El papel del libro de Charles Clifford en la divulgación de una imagen de España	3.1	687
Más allá de la distopía tecnológica: videovigilancia y activismo en Black Mirror y Mr. Robot	6.2	648
Las redes sociales como canal de comunicación de las marcas de moda españolas. El caso de Zara, Mango y El Corte Inglés	5.1	562
Representación discursiva y lenguaje de los 'youtubers' españoles: Estudio de caso de los 'gamers' más populares	6.1	551
Muerte y resurrección de la portada de discos	4.1	535
Análisis de la formación en comunicación y la relación médico-paciente en los grados de Medicina en España	6.1	531

De los diez artículos más descargados en la relación anterior, ocho pertenecen a los números ordinarios —que están abiertos todo el año— y sólo dos a números monográficos.

A pesar del número de descargas estas no son directamente proporcionales al número de citas conseguidas por cada trabajo. En la siguiente tabla podemos observarlo:

Tabla 14. Los diez artículos más citados, según Google Schoolar. A diciembre de 2017

Artículo/autor publicado	Número	Citas
El nuevo ecosistema mediático, de J Canavilhas	1	82
Social TV Analytics: Nuevas métricas para una nueva forma de ver televisión, de F Gallego	3.1	40
Estrategias de pago por contenidos de la prensa digital: Una aproximación teórica, de M Goyanes Martínez	2.1	23
Televisión social en series de ficción y nuevos roles del documentalista audiovisual: el caso de "El Ministerio del Tiempo", de D Rodríguez Mateos y T Hernández Pérez	5.3	8
El rol del prosumidor en la expansión narrativa transmedia de las historias de ficción en televisión: el caso de "El Ministerio del Tiempo", de J Miranda Galbe y J Figuero Espadas	6.2	7
Formación de comunicadores "transmedia" para el público de la generación digital, de A Barrios Rubio y WR Zambrano Ayala	4.1	7
La cobertura televisiva de la Cumbre de Cancún: agenda temática, discursos y fuentes en los informativos españoles, de ML Sánchez Calero, E Morales y MD Cáceres Zapatero	2.1	7
Análisis cibermétrico de cinco revistas emergentes de Comunicación en sus dos primeros años en línea: Revista Mediterránea de Comunicación; Fonseca, Journal..., de FJ Herrero Gutiérrez, M López Ornelas y A Álvarez Nobell	2.1	7
Las redes sociales como canal de comunicación de las marcas de moda españolas. El caso de Zara, Mango y El Corte Inglés, de M Alonso González	5.1	6
Recuperación de Información centrada en el usuario y SEO: categorización y determinación de las intenciones de búsqueda en la Web, de C Gonzalo, L Codina y C Rovira	5.3	6

Sigue siendo válida la observación que da más valor a los números ordinarios anuales frente a los monográficos y, como se puede ver, sólo dos de los artículos más descargados aparecen entre los más citados: en concreto, 'El nuevo ecosistema mediático', en primer lugar entre los más referenciados, es sólo el cuarto trabajo más descargado; mientras que 'Las redes sociales...', séptimo más descargado, es el penúltimo en la relación de los diez más citados.

8. Conclusiones

Vistos los resultados del análisis bibliométrico efectuado podemos confirmar la tendencia al alza desde el nacimiento de la revista hasta la actualidad. Los datos recogidos (siempre modestos) muestran que de manera paulatina las estrategias planteadas en el origen de la revista van tomando forma y los datos lo avalan. Es algo tangible reconocer que la creación y el mantenimiento de una revista científica es una carrera de fondo, que necesita de ciertos aspectos que son pilares básicos para que la revista continúe y mantenga su calidad. Se hace imprescindible tratar ciertos aspectos, como apuntábamos al comienzo de este capítulo, que permitan el mantenimiento y la evolución de una revista de estas características en el sistema científico español. Desde la profesionalización de los componentes del equipo de trabajo de la revista, como la disponibilidad, implicación y compromiso (en alguno de los casos) de los revisores al realizar su trabajo con rigor y no meramente como un trámite , hasta las ayudas de las instituciones en la que están vinculadas las revistas o la capacidad básica de difusión de los trabajos publicados son razones imprescindibles que deben ser abordadas sin falta en un futuro no muy lejano.

Por último, también se muestra como un factor central el sistema de calidad de las revistas científicas, puesto que no son suficientes los índices de impacto relevantes que se tienen en cuenta en las evaluaciones al profesorado. Sería necesario nuevos mecanismos, que analizaran tanto datos cuantitativos como cualitativos para conocer la calidad de los trabajos publicados. En ciertas áreas, como es el caso de las Ciencias de la Comunicación, se cuenta con pocas herramientas para poder reconocer de una manera válida y fiable la calidad de las revistas, tal y como están planteados los procesos de revisión de algunas bases de datos. En muchas ocasiones, estas bases no están actualizadas y los datos que aportan no se corresponden con la realidad del momento de la revista.

9. Referencias bibliográficas

Ardanuy, J. (2012) "Breve introducción a la bibliometría" Barcelona: Universidad de Barcelona, disponible en la URL: http://diposit.ub.edu/dspace/bitstream/2445/30962/1/breve%20introduccion%20bibliometria.pdf Consultado en: 3 de febrero de 2013.

Björneborn, L. (2002) *Small-world link structures on the Web*. Disponible en la URL: http://www.db.dk/lb/2002smallworld.pps/ Consultado en 1 de febrero de 2013.

Carrizo Sainero, G. (2000) "Hacia un concepto de Bibliometría" en *Journal of Spanish Research on Information Science* Vol: 1 Núm: 2, disponible en la URL: http://www.ucm.es/info/multidoc/publicaciones/journal/pdf/bibliometria-esp.pdf Consultado en: 2 de febrero de 2013.

Faba Pérez, C., Guerrero Bote, V., & Moya Anegón, F. (2004) *Fundamentos y técnicas cibermétricas*. Mérida: Junta de Extremadura.

Garfield, E., Malin M.V., & Small, H. (1978) "Citation data as science indicators" en Elkana, *Toward a metric of science*. New York: Wiley.

Herrero Gutiérrez, J.; López Orneas, M.; y Álvarez Nobell, A. (2012). Análisis cibermétrico de cinco revistas emergentes de Comunicación en sus dos primeros años en línea: *Revista Mediterránea de Comunicación; Fonseca, Journal of Communication; Miguel Hermández Communication Journal; Revista Pangea;* y *Fotocimena. index.comunicación,* 2(1), 69-90. Universidad Rey Juan Carlos, Madrid.

IN-RECS, Índice de impacto de Revistas Españolas en Ciencias Sociales, rama Comunicación (2010). *Índice de impacto de 2010*. Recuperado de http://ec3.ugr.es/in-recs/ii/Comunicacion-2010.htm

Lara, A. (1983) "Precisiones en torno a la delimitación conceptual entre Cienciología, Cienciometría, Informetría, Bibliometría y Sociometría documentaria" en *Revista Española De Documentación Científica*, 6 (4), 333-337.

Martínez Nicolás, M.; y Saperas Lapiedra, E (2011). La investigación sobre comunicación en España (1998-2007). Análisis de los artículos publicados en revistas científicas. *Revista Latina de Comunicación Social,* 66, 121-129. Recuperado: http://www.revistalatinacs.org/11/art/926_Vicalvaro/05_Nicolas.html

Martínez Nicolás, M. (2009). La investigación sobre comunicación en España. Evolución histórica y roles actuales. *Revista Latina de Comunicación Social*, 64, 1-14. Universidad de La Laguna. Recuperado: http://www.revistalatinacs.org/09/art/01_800_01_investigacion/Manuel_Martinez_Nicolas.html.

Oller Alonso, Martín; Segarra Saavedra, Jesús; y Plaza Noguera, Alberto: La presencia de las revistas científicas de Ciencias Sociales en los Social Media: de la Web 1.0 a la Web 2.0'. *index.comunicación*, 2(1), 49-68. Universidad Rey Juan Carlos, Madrid, 2012. Recuperado de: http://journals.sfu.ca/indexcomunicacion/index.php/indexcomunicacion/article/view/27/32

Polanco, X. (1997) "Infometría e Ingeniería del Conocimiento: Exploración de Datos y Análisis de la Información en vista del Descubrimiento de Conocimientos" en Hernán Jaramillo y Mario Albornoz (Compiladores), *El universo de la medición: La perspectiva de la Ciencia y la Tecnología*. COLCIENCIAS, CYTED, RICYT. Bogotá, Tercer Mundo Editores p. 335-350.

Pritchard. A. (1969) "Statistical biography on bibliometrics" en *Journal of Documentation,* vol.25, n°.4, p. 348-349.

Sancho, R. (2001) "Medición de las actividades de Ciencia y Tecnología. Estadísticas e indicadores empleados" en *Revista Española de Documentación Científica*, 24(4), 382.

Trillo Domínguez, M. (2008) "Análisis cibermétrico de la prensa digital española. Ranking de calidad web y mapa de influencia mediática" Tesis doctoral Universidad de Granada. Departamento de Biblioteconomía y Documentación. Leída el 18 de junio.

Turner, W. A. (1994) "What's in a R: informetrics or infometrics" en *Scientometrics*, 30(2-3), pp. 471-80.

CAPÍTULO III

ÁMBITOS. DOS DÉCADAS HACIENDO POSIBLE UNA PUBLICACIÓN CIENTÍFICA EN COMUNICACIÓN: TERCERA ETAPA

Rosalba Mancinas-Chávez
Universidad de Sevilla, España
Gema Alcolea-Díaz
Universidad Rey Juan Carlos, España

Resumen

En 1998, con el nombre *Ámbitos. Revista andaluza de comunicación*, surgió una publicación científica bajo la dirección de Ramón Reig. La pretensión era sencilla, poner en la calle una publicación digna y libre. En estas casi dos décadas, la revista ha pasado por varias etapas, surgió como publicación en papel, dos números al año que algunas veces por falta de financiación salían a la calle en una sola edición. Con la fiebre digital, y sobre todo para eliminar gastos, la revista pasó a versión digital. Al principio era una publicación del Grupo de Investigación en Estructura, Historia y Contenidos de la Comunicación (GREHCCO), luego pasó a manos del Departamento de Periodismo II de la Universidad de Sevilla, para volver recientemente (diciembre de 2017) a manos de GREHCCO, el grupo que la creó.

En este trabajo pretendemos hacer un análisis detenido de la trayectoria de la revista. Haremos un repaso a las distintas etapas, desde una perspectiva cualitativa y cuantitativa, tomando en cuenta autores, temáticas, instituciones y países que han formado parte de Ámbitos, centrando nuestro esfuerzo en este trabajo en la tercera etapa, con la intención de ampliar la investigación a las demás etapas para una publicación posterior en el veinte aniversario de la revista.

Nos parece un buen momento para analizar el pasado, diagnosticar el presente y hacer una serie de recomendaciones para el futuro de la publicación.

Palabras clave

Ámbitos, Ciencias de la Información, publicación científica, cultura científica

Introducción

Ámbitos surge como *Revista Andaluza de Comunicación* en 1998, por iniciativa de Ramón Reig, director del Grupo de Investigación en Estructura, Historia y Contenidos de la Comunicación (GREHCCO). El principal objetivo era crear un espacio de difusión para investigadores del grupo que la creó y de la Universidad de Sevilla, aunque destacan en los primeros números firmas como Pedro Orive, José Manuel de Pablos, José Luis Dader, Jesús Martín-Barbero, Mariano Cebrián y Montse Quesada.

Estos casi veinte años de trayectoria de la revista se pueden dividir en tres etapas.

En la primera etapa, Ámbitos. Revista Andaluza de Comunicación, es pionera en publicaciones científicas de comunicación en Andalucía, se financia con la colaboración de instituciones públicas y privadas (Grupo AUNA-supercable, Junta de Andalucía, entre otras).

La edición impresa tenía una tirada de 500 ejemplares de 300 – 400 páginas. Como dato curioso, apuntamos que el número 1 salió a la venta con un PVP de 1.000 ptas.

El primer número fue puesto en marcha gracias al "proyecto Ámbitos", suscrito por el grupo de investigación con la empresa Supercable. En ese proyecto se incluía además una colección de libros que ha publicado 12 libros en formato papel y 3 en formato digital.

El primer número de Ámbitos aparece editado por GREHCCO y la Asociación Universitaria Comunicación y Cultura (AUCC) y tiene la leyenda *"Agradecemos el apoyo recibido de la Dirección General de Comunicación Social de la Consejería de la Presidencia de la Junta de Andalucía, y de la Compañía Andaluza de Telecomunicaciones"*.

El número 2 sale a la venta con un PVP de 2.000 pesetas y anuncia su disponibilidad en internet en un alojamiento web de la Universidad de la Laguna www.ull.es/publicaciones/latina/ambitos.htm.

A partir del número 9-10 segundo semestre de 2001 y primer semestre de 2002 cambia de nombre y aparece como *Ámbitos. Revista internacional de Comunicación*.

Con el número de 16 editado en 2007 inicia la segunda etapa. La edición pasa a cargo del Departamento de Periodismo II, Ramón Reig continua como director y fundador. En esta segunda etapa cambia de imagen, vinculada a los colores institucionales de la Universidad de Sevilla y se consolida como una de las siete revistas más importantes en su área en España.

Las dos primeras etapas de la revista fueron posibles gracias al apoyo de un equipo de trabajo conformado principalmente por Aurora Labio, María José García Orta y Miguel Bobo Márquez. En la segunda etapa fue fundamental la labor de Lorena R. Romero Domínguez como secretaria académica.

En 2013, con la publicación del número 22, *Ámbitos* se traslada a formato digital (Reig, 2013). La tercera etapa será el objeto de estudio de este trabajo, como explicamos más adelante. Podemos adelantar que se trata de una etapa marcada por la presión del *jotacerrismo* (Reig, 2014), dificultades de financiación y dificultades para consolidar un equipo de trabajo. En esta tercera etapa la colaboración de David Polo Serrano, como editor web y María José Ufarte, como secretaria académica han sido fundamentales. Finalmente, en el año 2017 se conforma un grupo de trabajo que ha asumido el reto de consolidar la publicación en su veinte aniversario, con la participación de María Dolores Ortiz-Herrera como Secretaría adjunta de dirección.

Objetivos Generales

El presente trabajo tiene como objetivo, a partir de la obtención de algunos de los indicadores cienciométricos más relevantes, diagnosticar la situación más reciente de la revista *Ámbitos* (en su tercera etapa, desde 2013 hasta el número de otoño de 2017) en relación a aquellos, con el fin de vislumbrar un camino de mejora allí donde sea necesario en el desarrollo futuro de la publicación. Se trata de un análisis parcial, anticipo de uno más amplio tanto en el periodo abarcado (la totalidad de la revista desde sus inicios), como en cuanto a las variables de estudio. El trabajo completo verá la luz en el 20 aniversario de la publicación.

Método – Desarrollo del trabajo

La metodología utilizada es el análisis de contenido de tipo cuantitativo. Este trabajo es la primera fase y anticipo de uno posterior, que se prolonga hasta el cumplimiento de los 20 años de la revista (2018), y en el que se amplía la ficha de codificación y abarca todos los números publicados. En el actual, se aportan los resultados obtenidos de aplicar un número más limitado de variables que las seguidas en el otro análisis, como decimos más amplio, en el que se siguen las establecidas por Martínez Nicolás y Saperas (2011: 127-128). En concreto, aquí se han codificado las variables que nos han permitido aportar los indicadores cienciométricos utilizados por el sistema de información científica Redalyc, de la tercera etapa de *Ámbitos* (a partir del número 22, año 2013), referidos a: autoría, procedencia institucional, procedencia externa/interna, procedencia por países, número de artículos, coautoría y la distribución de artículos por secciones.

Cabe también señalar que no se ha trabajado con muestra sino analizando la totalidad de ejemplares de la revista y de sus artículos y otros textos publicados en ella, abarcando en este caso el periodo temporal 2013, año de inicio de la tercera etapa de la revista, con el número 22, hasta el 38, correspondiente a 2017 otoño, último hasta la fecha de cierre del trabajo.

Es necesario explicar una decisión metodológica que se ha tomado para conseguir una normalización en los datos obtenidos, y para la que se han valorado los indicadores fecha de publicación y periodo cubierto (Delgado *et al.*, 2007: 125). Cuando estudiamos la progresión por años de algunos parámetros, hemos dejado fuera del análisis el primer número de la nueva etapa (número 22) y hemos incluido el segundo número de la etapa (número 23) en los datos de 2014, en vez de en 2013 como le correspondería por fecha de publicación e incluso por periodo cubierto. Estos dos números de 2013, aún responden a la pauta temporal de publicación correspondiente al periodo precedente (segunda etapa), por lo que, de incluirlos, rompen la normalidad de los resultados posteriores, en los que se comienzan a publicar cuatro anuales. Aunque el número 23 se publica el 24 de septiembre de 2013, viendo la pauta temporal (tabla 1) que se empieza a reproducir a partir del número siguiente, en cuanto a la identificación del periodo cubierto, de haberse aplicado, aquel número hubiera podido ser el correspondiente a 2014 invierno. No van a aparecer, por tanto, datos anuales de 2013 y, los de 2014, incluyen el número 23, a pesar de no ser esa la fecha de publicación.

Tabla 1. Fecha de publicación y periodo cubierto de los números 22 a 38 de *Ámbitos*.

Número	Fecha de publicación	Periodo cubierto	Identificador del periodo cubierto
22	24/02/2013	2013	---
23	24/09/2013	2013	---
24	19/04/2014	2014	Primavera
25	29/06/2014	2014	Verano
26	26/10/2014	2014	Otoño
27	07/02/2015	2014-15	Invierno
28	12/06/2015	2015	Primavera
29	09/08/2015	2015	Verano
30	28/11/2015	2015	Otoño
31	29/02/2016	2016	Invierno
32	23/05/2016	2016	Primavera
33	21/06/2016	2016	Verano
34	22/09/2016	2016	Otoño
35	21/12/2016	2017	Invierno
36	20/03/2017	2017	Primavera
37	21/06/2017	2017	Verano
38	22/10/2017	2017	Otoño

Fuente: Elaboración propia, 2017.

Asimismo, se ha llevado a cabo una revisión bibliográfica sobre producción científica en comunicación (Castillo y Carretón, 2010; Delgado, Ruiz-Pérez y Jiménez-Contreras, 2007; Giménez Toledo y Alcain, 2006; Martínez Nicolás y Saperas Lapiedra, 2011; Martínez Nicolás, 2009; Repiso, R.; Jiménez-Contreras, E.; Aguaded, I., 2017)) y de los parámetros aportados por las principales fuentes bibliométricas.

Resultados

Tras la aplicación del análisis de contenido para la obtención de los indicadores cienciométricos anteriormente referidos, en el periodo indicado (tabla 2), se han obtenido los siguientes resultados.

Tabla 2. Principales datos obtenidos para el análisis de los indicadores cienciométricos

Año de publicación	2014*					2015				2016				2017				Total
Número revista	22	23	24	25	26	27	28	29	30	31	32	33	34	35	36	37	38	
Número de autores**	33	18	19	14	39	7	19	15	10	13	17	9	12	14	10	8	9	266
Afiliación externa	31	15	19	10	35	5	16	12	9	13	16	8	8	12	9	4	7	229
Afiliación interna	2	3	0	4	4	2	3	3	1	0	1	1	4	2	1	4	2	37
Número de artículos	23	12	15	9	24	6	11	8	7	7	9	5	7	6	4	6	5	164
En coautoría	9	6	4	3	11	1	5	5	2	4	6	2	4	5	3	2	3	75
Sin coautoría	14	6	11	6	13	5	6	3	5	3	3	3	3	1	1	4	2	89
Distribución art./sección																		
▪ Ámbitos Personales	1	3		3	4	2	3	3	2	1					1		1	24
▪ Audiencias y OP	5		3	2	2			1	1	1	3	1	2				1	22
▪ Com. Y Tecnol.	7				2	2	2	2	1			1		1	1	6		25
▪ Géneros y AC	5	4	1	2	3	1	4	2	2	1	3	2	2	2	1		3	38
▪ Historia y Estructura	1	3	1	2	2	1	1			2	3	1	2	1				20
▪ Infoxicación		9			11													20
▪ Profesión Periodística	4	2	1				1		1	2			1	2	1			15

*ver metodología año 2014 ** autores no únicos

Fuente: Elaboración propia, 2017.

En cuanto a la autoría, cabe señalar que, de un total de 266 autores en estos 17 números, el 86% de los mismos tienen una afiliación externa a la revista, en cuanto a la institución (Universidad de Sevilla) y al grupo de investigación estrechamente relacionado con la misma (GREHCCO), considerados como afiliación interna. En este último caso, solo se han contabilizado como miembros del grupo de investigación cuando así ha aparecido en la identificación de afiliación del autor, lo que ocurre en una única ocasión en este periodo. Como puede apreciarse en la figura 1, el número de autores con afiliación interna es bastante constante, no superándose nunca cuatro por número, si bien, la proporción en relación con los autores externos por número, sí resulta dispar, puesto que éstos fluctúan más fuertemente a lo largo del periodo estudiado.

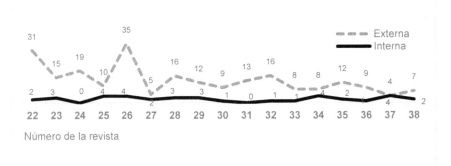

Figura 1. Evolución de la procedencia externa/interna de los autores por número de revista.

Al observar la progresión de este indicador cienciométrico de forma anual, se constata la mayor participación de autores externos a la revista (figura 2), a la vez que las proporciones anteriormente señaladas (figura 3).

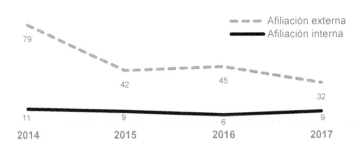

Figura 2. Evolución anual de la procedencia externa/interna de los autores.

*ver metodología año 2014

Figura 3. Evolución anual de la procedencia externa/interna de los autores, en %.

*ver metodología año 2014

Teniendo en cuenta de forma global el periodo estudiado y la procedencia institucional de los autores, colaboran con la revista un total de 71 instituciones, principalmente la Universidad de Sevilla, presente a través de sus autores en 36 ocasiones (los autores pueden repetirse), y la Universidad Complutense de Madrid (25). De las 71 instituciones, 6 de ellas –en este caso, todas españolas–, están presentes en 10 o más ocasiones (tabla 3).

Tabla 3. Principales instituciones que colaboran con la revista (de un total de 71) y número de ocasiones en las que lo hacen en los números 22 a 38 de *Ámbitos*.

Universidad de Sevilla	36
Universidad Complutense de Madrid	25
Universidad del País Vasco	16
Universidad de Vigo	13
Universidad de Valladolid	13
Universidad Rey Juan Carlos	10

Por países, España es el que más autores aporta a la revista (86%), seguido, muy de lejos, por Brasil (4,1%) y México (3,8%). No obstante, los países latinoamericanos (entre los que incluimos Puerto Rico) tienen más peso (11,3%) en la publicación que el resto de países europeos (2,6%) –tabla 4–.

España	229	86,0%	España	229	86,0%
Brasil	11	4,1%	Resto de Europa	7	2,6%
México	10	3,8%	Latinoamérica*	30	11,3%
Perú	4	1,5%			
Reino Unido	3	1,1%			
Bélgica	2	0,8%			
Uruguay	2	0,8%			
Portugal	1	0,4%			
Colombia	1	0,4%			
Chile	1	0,4%			
Puerto Rico	1	0,4%			
Italia	1	0,4%			

Tabla 4. Procedencia por países de los autores en los números 22 a 38 de *Ámbitos*.

*Incluye Puerto Rico

Como el número de autores, el de artículos sufre una disminución prácticamente progresiva (figura 4), jalonada por varias publicaciones especiales, en las que se recogen, tras previa revisión por pares, de forma monográfica las publicaciones de dos congresos (números 24 y 26, por un lado, y número 31, por otro).

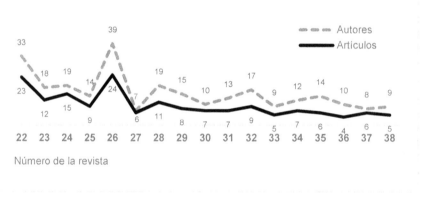

Figura 4. Evolución de autores y artículos por número de revista.

La tendencia descendente del número de autores y artículos, se aprecia más claramente cuando la observación se hace por años, como se muestra en la figura 5. El descenso en el número de autores desde 2014 a 2017 es del 45,5%, mientras que el número de artículos cae en un 35%. El promedio anual de autores es de 58 y de 35 el de artículos.

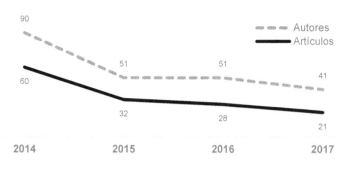

Figura 5. Evolución anual de autores y artículos.

*ver metodología año 2014

Durante el periodo estudiado es mayor el número de artículos sin coautoría que con dos o más autores (figura 6), presentando unos porcentajes totales del 54% y el 46%, respectivamente. Si bien, el dato significativo es el que surge al contemplar los resultados anuales, puesto que se comprueba que a partir de 2016 cambian de tendencia los valores en este parámetro, como se observa en la figura 7. El promedio en el número de autores por artículo ha ido aumentando cada año: 1,5 (2014), 1,59 (2015), 1,82 (2016) y 1,95 (2017, hasta número 38).

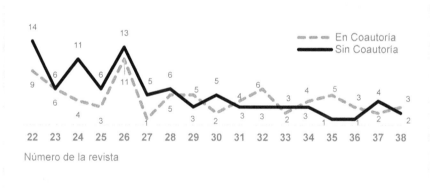

Figura 6. Evolución de los artículos en coautoría y sin coautoría por número de revista.

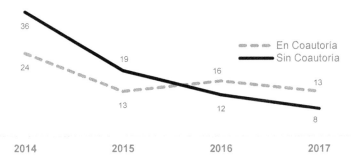

Figura 7. Evolución anual de los artículos en coautoría y sin coautoría.

*ver metodología año 2014

Finalmente, en cuanto a la distribución de los artículos por secciones, analizando su aportación en términos porcentuales para facilitar la comparación anual (figura 8), debido a la fluctuación en el número de artículos por año, la sección "Géneros y Análisis de Contenido" es una de las más nutridas y estables en la proporción de contribuciones a lo largo del tiempo. En 2014 se iguala con "Ámbitos personales" (ambas con un 25%), y en 2016 con "Historia y Estructura" (28,6%). En 2015, es superada por el porcentaje de contribuciones a la sección "Ámbitos personales" (31,3% frente al 28,1%), y en 2017 por "Comunicación y Tecnología" (38,1% frente al 28,6%). Exceptuando "Géneros y Análisis de Contenido", con una presencia importante (siempre igual o superior al 25%), el resto de secciones varían sus porcentajes de un año a otro sin seguir una pauta fija. "Comunicación y Tecnología" es la que más ha crecido en el último año, aunque en dos obtuvo unos datos mínimos. El gran volumen de "Ámbitos personales" decae fuertemente en los dos últimos años analizados. Solo un año, 2016, "Audiencias y Opinión Pública" alcanza el 25%, porcentaje sobrepasado solo en una ocasión por "Historia y Estructura" (en 2016 alcanzó el 28,6%, también medianamente alto en 2014, y queda en datos mínimos en 2015 y 2017), y al que nunca ha llegado el porcentaje de contribuciones a la sección "Profesión Periodística".

En 2014, aparece en los números 24 y 26, la sección "Infoxicación", que acoge de forma monográfica los artículos (un total de 20 entre los dos números) seleccionados previa revisión por pares, procedentes de un congreso. Esta sección no se ha incluido en las figuras de distribución anual y total del periodo por secciones, dado que es circunstancial. Por otro lado, los artículos incluidos en el número 31 igualmente procedentes de un congreso, se distribuyeron por las secciones habituales, sin generar un espacio propio y diferenciado.

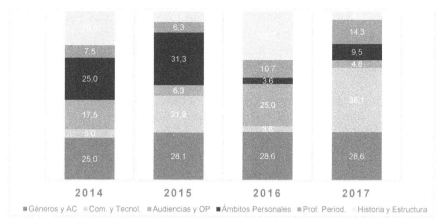

2014   2015   2016   2017

■ Géneros y AC   ▦ Com. y Tecnol.   ▦ Audiencias y OP   ■ Ámbitos Personales   ■ Prof. Period.   ░ Historia y Estructura

Figura 8. Distribución anual de los artículos por secciones (en %).

*ver metodología año 2014

Teniendo en cuenta el periodo completo estudiado (figura 9), las secciones más nutridas de artículos, en términos porcentuales, son "Géneros y Audiencias" (27,3%) y "Ámbitos Personales" (19%), en este último caso, por el elevado número de contribuciones en 2014 y 2015. La tercera sección es "Historia y Estructura" (15,7%).

Figura 9. Distribución de los artículos por secciones (%) en los números 22 a 38 de *Ámbitos*.

*ver metodología año 2014

Discusión y conclusiones

La revista *Ámbitos* es una publicación con una ya larga trayectoria durante la que ha perdido parte de su fuerte posicionamiento inicial. El análisis de los resultados obtenidos en esta colección de indicadores cienciométricos, y otros elementos de la observación, ponen de manifiesto, además de las fortalezas, algunos de los elementos a corregir y que pueden darle de nuevo impulso a la revista, adaptándose a los estándares de las publicaciones científicas de más alto nivel en su área.

La cuestión inicial con la que nos encontramos y que hemos planteado en la metodología, es la periodicidad irregular con la que sale a la luz. A pesar de cumplir con el objetivo de la última etapa (en concreto, desde 2014) de publicar cuatro ejemplares al año, la fecha de publicación del periodo cubierto no sigue una pauta regular. Asimismo, emplea el nombre de las estaciones junto al año, como identificador del periodo cubierto. Una y otra cuestión, la aleja de los estándares de calidad establecidos.

Se aprecia una buena proporción entre la afiliación externa/interna de los autores, algo que se ha consolidado a lo largo del tiempo, desde los inicios de la publicación. Por ello, se produce un ligero signo de debilidad en el año 2017, cuando, a la vez que el número de autores y artículos, aumentan ligeramente los autores internos, lo cual puede ser una tendencia en los años siguientes si no se impulsa de nuevo la revista y ante la creciente mejora en el posicionamiento de otras revistas del mismo sector.

Ámbitos cuenta con una variada colaboración institucional (71 instituciones), si bien la Universidad de Sevilla es la que presenta una frecuencia más alta en el número de ocasiones en que aparecen sus autores ligados a la publicación (seguida muy de cerca por la Universidad Complutense de Madrid). Y España es el país que más autores aporta a la revista (86%), frente al resto de países. De ese resto, tienen mayor peso en la publicación los países de América Latina (destaca Brasil sobre otros por su relación con el congreso que aportó artículos para el número 31). La mayor presencia de América Latina resulta muy comprensible si se tiene en cuenta que, aunque la revista publica artículos en otros idiomas (hasta el número 27 no se incluyeron los títulos paralelos en inglés), la página web que la alberga y toda la información disponible sobre la misma está solo en español.

La disminución del número de autores y artículos se enmarca en el escenario de los procesos de acreditación del profesorado, en los que se prima la publicación en revistas científicas indexadas en determinadas bases de datos y con un posicionamiento alto, lo que genera un flujo de artículos hacia dichas publicaciones. *Ámbitos* no se encuentra en las bases de datos preferentes en dicho proceso (sí está indexada en otras), lo que supone una pérdida progresiva de volumen de artículos.

Se cumple la tendencia actual de las revistas científicas de contar con un mayor número de artículos en coautoría. Y en *Ámbitos*, el promedio de autores por artículo ha pasado de 1,5 en 2104 a 1,95 en 2017 (hasta el número de otoño), similar a la situación de las revistas de ciencias sociales.

Como se ha señalado, las secciones más nutridas de artículos en el periodo de estudio han sido "Géneros y Audiencias" y "Ámbitos Personales" (ésta fundamentalmente en 2014 y 2015). "Ámbitos personales" es una sección que precisa de una mayor definición del tipo de temáticas a incluir en la misma. Se observa en el análisis cómo las temáticas en auge del sector inciden en el aumento de las secciones de la revista. La página web posibilita el acceso a los artículos por secciones y por número de la publicación, aunque no existe una herramienta de búsqueda.

De todo lo anterior, y a modo de conclusiones, surge un decálogo de recomendaciones iniciales para la mejora de la publicación en los parámetros observados y de la revisión hecha:

1. Mantener la puntualidad en la fecha de publicación.

2. Eliminación del nombre de las estaciones como identificadores que se añaden al año en el periodo cubierto.

3. Hacer llamamiento a artículos a la revista, para mantener la proporción de autores externos a la misma y para obtener visibilidad así como un mayor volumen de trabajos.

4. Publicar el llamamiento a artículos, las bases y normas de publicación y toda la información de la revista, además de en español, al menos en inglés, para cumplir con su vocación de revista internacional.

5. Priorizar en la selección previa de artículos, como filtro de entrada, los trabajos con dos o más autores, salvo casos excepcionales, y de proyectos de investigación.

6. Reforzar la estructura por secciones, realizando una clara descripción de las temáticas que albergan las mismas.

7. Generar un índice temático o de materias y aplicarlo a la clasificación de los artículos publicados, en aras de una mejor organización de los artículos y recuperación de los mismos.

8. Incluir una herramienta de búsqueda por autores, secciones, títulos y temática.

9. Ofrecer, de forma permanente, estadísticas del volumen de trabajos recibidos, aceptados, publicados, número de autores, distribución por áreas temáticas y secciones, así como indicadores cienciométricos.

10. Paginación de los artículos y numeración de forma consecutiva, teniendo en cuenta como una unidad todos los artículos que forman parte del mismo volumen, para mejorar su citación.

Referencias bibliográficas

Castillo, A. y Carretón, MC(2010) Investigación en Comunicación. Estudio bibliométrico de las Revistas de Comunicación en España.En *Comunicación y Sociedad*, Vol. XXIII. Núm. 2. Páginas289-327. Disponible en http://dadun.unav.edu/bitstream/10171/27872/1/Investigación%20en%20Comunicación.Estidio%20bibliométrico%20de%20las%20Revistas%20de%20Comunicación%20en%20España..pdf

Delgado, E., Ruiz-Pérez, R. y Jiménez-Contreras, E. (2007) *La edición de revistas científicas. Directrices, criterios y modelos de evaluación.*Fecyt. Disponible en https://www.fecyt.es/es/publicacion/la-edicion-de-revistas-cientificas-directrices-criterios-y-modelos-de-evaluacion

Giménez Toledo, E. y Alcain, MD (2006) Estudio de las revistas españolas de periodismo. En Comunicación y Sociedad, Vol. XIX. Núm. 2. Páginas 107-131.

Jones, DE (2016) Investigación sobre comunicación en España: evolución y perspectivas.EnZER - Revista de Estudios de Comunicación. Disponible en http://www.ehu.eus/ojs/index.php/Zer/article/view/17359/15144

López-Rabadán, Pablo y Vicente-Mariño, Miguel (2011), Métodos y técnicas de investigación dominantes en las revistas científicas españolas sobre comunicación (2000-2009) AE-IC / Congreso Nacional Metodología de Investigación en Comunicación, 665-679.

Martínez Nicolás, M. (2009) La investigación sobre comunicación en España. Evolución histórica y retos actuales". En *Revista Latina de Comunicación Social*, 64. Disponible en https://www.ull.es/publicaciones/latina/09/art/01_800_01_investigacion/latina_art800.pdf.

Martínez Nicolás, M. y Saperas Lapiedra, E. (2011) La investigación sobre Comunicación en España (1998-2007). Análisis de los artículos publicados en revistas científicas, en *Revista Latina de Comunicación Social*, 66. La Laguna (Tenerife): Universidad de La Laguna, páginas 101 a 129. Disponible en http://www.revistalatinacs.org/11/art/926_Vicalvaro/RLCS_art926.pdf

Martínez Nicolás, M. y Saperas Lapiedra, E. (2011): "La investigación sobre Comunicación en España (1998-2007). Análisis de los artículos publicados en revistas científicas", en Revista Latina de Comunicación Social, 66. La Laguna (Tenerife): Universidad de La Laguna, páginas 101 a 129. Disponible en http://www.revistalatinacs.org/11/art/926_Vicalvaro/RLCS_art926.pdf.

Reig, R. (2015). Ámbitos, entre las 20 mejores revistas españolas de Comunicación, *Ámbitos. Revista Internacional de Comunicación,* 29, http://institucional.us.es/ambitos/?p=1927.

Reig, R. (2014). La investigación dependiente. *Ámbitos. Revista Internacional de Comunicación,* 27, http://institucional.us.es/ambitos/?p=1608.

Reig, R. (2013). Ámbitos en Red. *Ambitos. Revista Internacional de Comunicación*, 22. http://institucional.us.es/ambitos/?p=263#more-263.

Repiso, R.; Jiménez-Contreras, E.; Aguaded, I. (2017). Revistas Iberoamericanas de Educación en SciELO Citation Index y Emerging Source Citation Index. Revista Española de Documentación Científica, 40 (4): e186. DOI: http://dx.doi.org/10.3989/redc.2017.4.1445.

CAPÍTULO IV

UNIVERSIDAD Y MEDIOS SOCIALES. GESTIÓN DE LA COMUNICACIÓN EN LAS UNIVERSIDADES BRITÁNICAS

María García García

Universidad de Extremadura

Resumen

La implantación y crecimiento de los medios sociales en la sociedad deja poco margen de elección a las universidades. Teniendo en cuenta el número de usuarios de estos medios, parecen ser una herramienta fundamental para fortalecer las relaciones de las universidades con sus públicos (Cancelo-Sanmartin & Almansa-Martinez, 2013). Quizás por esto las redes sociales están siendo un creciente objeto de estudio en el contexto de la investigación universitaria (Clark, Fine, & Scheuer, 2016).

Las universidades europeas viven inmersas en procesos de cambios profundos y sufren la marketinizacion del espacio educativo donde los alumnos se convierten en clientes (Harrison & Risler, 2015). Inglaterra ha sufrido significativas transformaciones como la liberalización de las tasas, la retirada de las ayudas estatales, nuevos criterios de evaluación que han fomentado la mercantilización de la enseñanza. En este contexto, los medios sociales pueden suponer un escaparate gracias al cual atraer a los estudiantes y a otros públicos de interés.

En el presente estudio se ha realizado una encuesta a los responsables de la comunicación digital de 30 universidades británicas a los que se preguntó por la estrategia de comunicación, los públicos y los contenidos de las comunicaciones en los medios sociales.

Los resultados indican una importancia creciente de los medios sociales en los planes de comunicación de las universidades británicas y confirman que, también en estos medios, los estudiantes son el público de mayor interés.

INTRODUCCIÓN

La creciente implantación de los medios sociales ha provocado cambios importantes en el terreno de la comunicación (Killian & McManus, 2015). Kaplan and Haenlein (2010: 61) describen los medios sociales como "un grupo de aplicaciones basadas en Internet que se basan en las bases ideológicas y tecnológicas de la Web 2.0 y que permiten la creación e intercambio de contenidos generados por los usuarios". El uso de los medios sociales de manera intensiva caracteriza las sociedades de los países desarrollados donde los usuarios de Internet pasan gran parte de sus vidas navegando en plataformas como Facebook, Twitter o YouTube. La forma en la que se comunican y toman decisiones de compra ha cambiado.

El impacto de dichos medios ha sido estudiado en instituciones muy diversas sin embargo el conocimiento de cómo utilizan las universidades los medios sociales es todavía escaso (Knight & Kaye, 2016). A falta de estudios específicos, las universidades toman prestadas las experiencias comerciales hechas en el entorno empresarial (Zailskaite-Jakste & Kuvykaite, 2012) pero no conviene olvidar que las universidades son organismos que cumplen una función social que no deben descuidar.

La aplicación académica estas herramientas es, probablemente, el aspecto que más interés haya generado en el ámbito académico, los usos académicos de los medios sociales y sus aplicaciones al proceso de enseñanza. Sin embargo el enfoque de este estudio parte del campo de la comunicación, por lo que no serán contemplados ni se ahondará en las aportaciones de los medios sociales a la docencia online o a la planificación y el desarrollo de las actividades formativas. El objetivo de este trabajo es entender como las universidades británicas usan los medios sociales para comunicarse con sus públicos de interés.

En ese empeño en seguir las mismas prácticas que las empresas, organizaciones de todo tipo se han lanzado a la conquista de la web social. El alcance, la facilidad de uso, la imitación de los competidores, etc. Puede explicar el uso de estas herramientas por parte de las instituciones universitarias. Para cualquier marca, se abre un abanico de posibilidades casi infinito en el que lo importante no es tanto la plataforma como la gestión estratégica de la comunicación. La presencia por sí misma no garantiza nada a la marca, detrás debe existir una imagen única y uniforme (Karjaluoto, Mustonen & Ulkuniemi, 2015; Lipiäinen & Karjaluoto, 2015). La transmisión de la marca universitaria en los medios sociales ofrece grandes retos tanto a nivel práctico como académico.

El objetivo de este trabajo es entender como las universidades británicas usan los medios sociales para comunicarse con sus públicos de interés.

- Conocer la estrategia de las universidades británicas en los medios sociales

- Definir los principales públicos de interés de las universidades británicas en estos medios

- Concretar los contenidos que más contribuyen a fortalecer la marca.

Para alcanzarlos, este trabajo presenta los resultados de una encuesta realizada a los responsables de la comunicación digital de 30 universidades británicas. Para ello, a continuación se expondrá el estado de la cuestión señalando los estudios en la materia más relevantes para la investigación. Posteriormente se explicará la metodología empleada que dará paso a una explicación descriptiva de los resultados alcanzados. El trabajo finaliza con algunas conclusiones que resumen las principales aportaciones.

ESTADO DE LA CUESTIÓN

Las universidades británicas

Las universidades británicas se encuentran inmersas en épocas de cambios. Además de la adaptación al EEES, se enfrentan a la aparición de la enseñanza privada superior con ánimo de lucro, recortes en la financiación estatal, mercantilización de la función pública, el aumento de la microadministración o el microcontrol de las prácticas o la progresiva presión sobre los profesores en términos de investigación (Arribas, 2013). Las universidades luchan por captar alumnos y tener un posicionamiento que les permita atraer alumnos.

El sistema universitario británico se ha caracterizado históricamente por clasificar y diferenciar universidades con unas características u otras. Es por ello que existen distintas formas de abordar el estudio de las instituciones universitarias británicas. Desde la desaparición de la división entre universidades y escuelas politécnicas de 1992, una forma de distinción en las universidades británicas es Pre – 1992 (Old) o Post – 1992 (New), entendidas como las universidades tradicionales y las de reciente creación. Otra división clasificación muy extendida es la que diferencia las universidades en pertenecientes al grupo Russell o no Russell. Es decir, las universidades líderes en investigación (por ejemplo, Cambridge o Oxford pertenecen a este grupo) y aquellas que se consideran con menos trayectoria e impacto. El intento de proponer una clasificación válida y que recoja distintas variables llevó a proponer a Boliver (2015) 4 tipos diferentes de universidades. El británico es un sistema donde la pertenencia a un grupo de universidades u otro puede determinar el número de alumnos e investigadores que la institución atraiga y su reputación.

Actualmente según la Higher Education Statistics Agency (HESA, 2017) en el curso 2015/2016[4] existían 163 instituciones universitarias en UK que acogieron a 2.280.830 estudiantes repartidos por 1563900 estudiantes de grado, 98.560 estudiantes de doctorado y 11.210 alumnos de master.

Todas estas universidades disponen de un perfil corporativo en los principales medios sociales. No es de extrañar la tendencia a los medios sociales de instituciones tan arraigadas en la sociedad británica ya que según la Office of National Statistics (ONS, 2017) el uso de los medios sociales es la tercera actividad más importante en la Red para los británicos y las plataformas preferidas son Facebook e Instagram según el informe de la consultora Think Digital First[5].

Sin embargo, el uso de los medios sociales de los públicos de interés de las universidades es variado y la adaptación de los stakeholders de las universidades y los usos de las redes sociales son muy diferentes. Mientras los estudiantes se muestran predispuestas al uso académico de los mismos, incluso siendo usuarios pasivos (Knight & Kaye, 2016), el personal necesita ser alentado a utilizarlos como herramientas pedagógicas y de colaboración (Benson, Saridakis & Tennakoon, 2015).

Los medios sociales y su implantación universitaria no han hecho más que aumentar los escenarios donde las universidades compiten. Las universidades operan en un entorno cada vez más incierto, con fuerzas macro que se mueven con velocidad, complejidad y riesgo por lo que los problemas y desafíos para esas instituciones son significativos.

Las universidades y los medios sociales

La globalización que trae pareja internet ha tocado de lleno a las instituciones educativas de todo el mundo. Las universidades ya no compiten en un entorno local, sino global donde los públicos internacionales tienen también un papel protagonista similar al de los stakeholders locales. La competencia educativa a escala mundial ha propiciado una pugna entre universidades que impone prácticas de captación de alumnos a nivel internacional. Es por esto por lo que todos los sistemas educativos deberían considerar las relaciones con sus públicos tanto a nivel regional como nacional o global (Shields, 2016) y por lo que las universidades necesitan diseñar estrategias de comunicación que impacten a los estudiantes de otros países (Lopes & Varela, 2014).

---

[4] Últimos datos publicados
[5] Disponible en: http://www.thinkdigitalfirst.com/2016/01/04/the-demographics-of-social-media-users-in-2016/

Esta mercantilización del espacio educativo y la falta de estudios específicos han llevado a las universidades a realizar prácticas comunicativas más cercanas a la búsqueda de clientes que a la difusión de su actividad docente. La proximidad entre la universidad y las actividades de ventas / captación podría interpretarse como un peligro para la propia esencia de la institución ya que podría entenderse que la alejan de cumplir la función social que cumple. Sin embargo desde este trabajo se entiende la comunicación, no como un arma de ventas, sino como una herramienta de transmisión de su actividad de la universidad a la sociedad. En este sentido, los medios sociales se antojan un escaparate ideal para la conversación y la transferencia de conocimiento.

Shields (2016) apunta a que los medios sociales no fomentan la batalla por alumnos, posición,….entre instituciones. Al contrario el autor indica que las universidades deben usar los medios sociales para comunicarse con sus públicos ya que en esos medios la competencia y el estatus son poco importantes, dejando espacio para comunicaciones significativas entre instituciones que comparten intereses. En este contexto, las universidades se han visto obligadas a explorar nuevos canales que adapten el proceso de enseñanza-aprendizaje a las exigencias actuales, a buscar nuevas formas de comunicarse con sus públicos y a reforzar sus marcas (Valerio et al., 2015).

Existe una cierta confusión cuando se habla de medios sociales ya que el concepto engloba plataformas muy diferentes. Si bien la evolución propia y constante de los mismos así como la tendencia a la convergencia, tanto empresarial como en sus funciones, dificulta una clasificación actualizada, puede decirse que los tipos de medios sociales incluyen (Karami & Naghibi, 2014)

- Redes sociales (Facebook, Myspace y LinkedIn)

- Micro-blogs (Twitter, Plurk y Feed de amigos)

- Reseñas y valoraciones (Yelp, Amazon y Trip Advisor)

- Video (YouTube y Vimeo)

- Otros

Este estudio parte de una visión holística de los medios sociales, sin segmentar ni diferenciar, ya que la estrategia de cualquier marca en la red debe ser global y las plataformas elegidas serán consecuencia de esa visión global del proceso, en ningún caso es conveniente compartimentar la gestión de la marca ni el proceso de comunicación.

Numerosos estudios señalan a los estudiantes como públicos de mayor interés en la estrategia de comunicación de las universidades (por ej. Chapleo, Carrillo y Castillo, 2011 o Plewa et al., 2016) por lo que comprender el uso que este segmento de población hace de los medios sociales, será crucial para diseñar una estrategia que consiga transmitir el mensaje que la marca desea ya que (Zailskaite-Jakste & Kuvykaite, 2012):

1) Los jóvenes están predispuestos a las novedades.

2) El modelo tradicional de comunicación unidireccional cuando el mensaje es creado, reportado y controlado se vuelve menos relevante incluso en el proceso de comunicación de las universidades.

3) El público objetivo de las universidades tiene su opinión y tiene la posibilidad de expresarlo a través de una variedad de canales de medios sociales. Los medios de comunicación social ayuda a llegar a la comunidad y de manera más relevante y más directa.

El uso intensivo de estos medios también tiene un impacto decisivo en los usuarios: cada vez son más expertos en ellos y, por tanto, más exigentes. Mientras más se usan los medios digitales, más expectativas se crean respecto a las marcas que tiene presencia en ellas (Labrecque, 2014).

Pero la presencia en los medios sociales de cualquier institución debe responder a unos objetivos claros y definidos alineados con la identidad de la institución. Para cualquier marca, los medios sociales contribuyen a la consecución de algunos objetivos básicos: reconocimiento de la marca, compromiso con la marca, boca a boca, añadir amigos y /o me gusta, confianza y reconocimiento social (Pergolino, Rothman, Miller & Miller, 2012). Todas las universidades británicas presentes en el ranking utilizado para el estudio tienen presencia en distintos medios sociales pero las marcas universitarias tienen ante sí grandes retos a los que hacer frente en los medios sociales ya que son un escaparate desde el cual mejorar la competitividad de las instituciones de enseñanza superior (Lacayo-Mendoza & de Pablos-Heredero, 2016).

Plataformas, públicos y contenidos en los medios sociales

El reto al que se enfrentan las universidades no es sencillo. Además de la complejidad intrínseca de los medios sociales, las universidades son también instituciones complicadas donde la marca comprende una amplia gama de aspectos y dimensiones.

Cada universidad tiene una marca global que debería amparar cualquier acción de comunicación pero, además, las universidades deben involucrar a todas las divisiones (departamentos, facultades o centros) en la aplicación de la estrategia de comunicación general (Zailskaite-Jakste & Kuvykaite, 2012). La gestión de una marca universitaria es compleja por lo que la estrategia de comunicación, tanto en los medios sociales como en cualquier otro contexto, debe ser diseñada, planificada y manejada por personas expertas con profundo conocimiento sobre la institución. Todos los contenidos deben estar impregnados de la esencia de la marca de forma que se proyecte una identidad única e inequívoca sin divisiones.

A la multitud de divisiones que utilizan la marca universitaria hay que sumarle una gran variedad de públicos. Las universidades tienen un mapa de públicos muy diversificado que abarca a las empresas, los sindicatos, las asociaciones de estudiantes, los representantes de la sociedad civil, los egresados, los padres de estudiantes, los trabajadores y los estudiantes (European Union, 2008).

Además, los distintos grupos de públicos hacen un uso diferenciado de las plataformas. Por ejemplo, se observan diferencias en el uso que los académicos y los estudiantes hacen de Twitter (Knight & Kaye, 2016). Los estudiantes son más propensos a utilizar las redes sociales para involucrarse con un tema (González-Díaz, Iglesias-García & Codina, 2015).

La información o el contenido que se transmite en los medios sociales también será determinante a la hora de diseñar la estrategia. De acuerdo con Chapleo, Carrillo y Castillo (2011) para una correcta transmisión de la marca en las web corporativas de las universidades, éstas deberían mostrar contenidos relacionados con la investigación, la gestión, la enseñanza, la identidad local, sobre su proyección internacional, la RSC o la innovación. Siendo coherentes con la necesidad de proyectar la identidad de manera única, los contenidos a comunicar mediante cualquier otra plataforma no deberían diferir pero no existen estudios que demuestren qué contenidos son los más apropiados para los medios sociales.

La cantidad y la diversidad de variables que entran en juego a la hora de gestionar la marca universitaria en los medios sociales hace necesario un análisis en profundidad de cada institución, de sus objetivos, de las estrategias y de los públicos con el fin de diseñar una estrategia ajustada a su realidad que refuerce la marca y transmita de forma pertinente lo que la institución considera.

Una vez diseñado el plan, no es suficiente con publicarlo. También hay que analizar los resultados obtenidos. El proceso de monitorización del alcance de la marca en la Red indicará la eficacia de la comunicación. La escucha activa en los medios sociales es especialmente relevante para cualquier marca puesto que el conocimiento colectivo es uno de los pilares y base del éxito de estos medios. Las marcas no pueden aprovechar el contenido orgánico sino saben lo que está pasando (Fournier and Avery, 2011).

METODOLOGÍA

El objeto de estudio de este trabajo han sido las 119 universidades de UK recogidas en "The 2016 Guardian league table". En primer lugar se contactó con las universidades para tener acceso al contacto directo del responsable de comunicación, medios sociales o puesto equivalente. Usando la plataforma surveymonkey.com se les envió a todas las universidades del ranking un mail que contenía un link al cuestionario diseñado.

Matsuo et al. (2004) expone las razones por las que los científicos sociales pueden querer emplear diseños basados en Internet.

- Las poblaciones pueden ser más accesibles a través de una encuesta en línea

- Acceso a muestras interculturales

- Mayor tamaño de la muestra

Los participantes que completaron el cuestionario fueron identificados por un identificador único generado por el sistema de cuestionario en línea completando la recopilación de datos en junio de 2016. El tamaño final de la muestra fue de 30 universidades (Middle 6; Newer 12 and Older 10).

El cuestionario global se dividió en tres secciones. La primera preguntaba a los participantes sobre cómo los planes y estrategias de comunicación deben contribuir a administrar la marca universitaria en los medios sociales. La siguiente sección contenía preguntas relacionadas con cuáles son los actores universitarios en los medios digitales y la última sección exploró el contenido más adecuado que se mostrará en los medios sociales para mejorar el compromiso y la conciencia de la marca. Cada sección incluía preguntas de escala binaria y una escala de probabilidad (de 1 a 5), si se requería una clasificación.

RESULTADOS

A continuación se expondrán los resultados obtenidos siguiendo los bloques anteriormente expuestos que eran los recogidos en el cuestionario.

Comunicación y gestión de marca

La primera cuestión que se planteó a los encuestados era saber si su universidad disponía de un plan de comunicación puesto que, en caso contrario, no tendría sentido completar el cuestionario. Sorprende encontrar entre los encuestados dos universidades que dicen no disponer de un plan de comunicación. El 93,3% de las universidades británicas reflejan su estrategia de comunicación en un plan propiamente dicho.

La inexistencia de dicho plan puede estar relacionada con una falta de concienciación de ya que el papel de los medios sociales en la gestión y la planificación de la estrategia de comunicación digital es importante o medianamente importante en el 16,6% de las universidades encuestadas. El 46,7% consideran los medios sociales importantes y el 36,7% muy importantes.

Sin duda, la implicación de los órganos gestores determinará el valor que la comunicación en general y los medios sociales en particular tengan en la estrategia global de la universidad. El 20% de los encuestados indican que los gestores valoran poco los medios sociales y un 66,7% los valoran de la misma manera que otras herramientas. Únicamente un 13,3% las valora por encima de otras plataformas o de manera prioritaria.

Sorprende positivamente encontrar un 76,7% de universidades británicas que disponen de un libro de estilo o una guía para indicar cómo mencionar la marca corporativa en los medios sociales. El libro de estilo refleja un esfuerzo por sistematizar una serie de normas que garanticen una correcta proyección de la institución en los medios sociales. La aplicación de las normas de un manual de estilo contribuye a la transmisión de la identidad y a la implementación de unos criterios únicos que guíen la presencia de la marca en las plataformas sociales.

Ya se ha indicado la importancia de medir el alcance de la actividad en los medios sociales para ver tanto el alcance como la repercusión de la actividad de la universidad. Medir la conversación sobre la marca es un tema fundamental.

En relación al alcance, a la supervisión de las acciones que la propia universidad realiza, el 70% de las universidades británicas disponen de algún software informático que gestione la búsqueda de la marca y el feedback recibido mientras que un 26,7% dicen realizar una monitorización únicamente visual. Tan solo el 3,3% de las universidades encuestadas dicen no realizar ninguna acción de monitorización.

Más allá de las propias acciones de la institución, la conversación en la Red sobre la marca tendrá lugar y cualquier mención sobre la institución puede tener impacto en la marca. Por eso es importante medir, no solo el alcance de lo que uno dice sobre sí mismo sino escuchar lo que los demás dicen. Aquí la concienciación de las universidades británicas baja y el 60% monitoriza lo que se dice de ella mediante algún tipo de programa informático. El 10% no escucha lo que se dice de ellas y el 30% realiza una simple inspección visual. La monitorización permite a las universidades verificar la eficacia de las estrategias implementadas, evidenciar problemas y proponer soluciones así como detectar beneficios que contribuyan a reforzar la marca.

Para una correcta monitorización es también fundamental saber qué objetivo quiere conseguir la marca con su presencia en los medios sociales. En el gráfico 1 se indican las medias alcanzadas (mientras más baja, mayor prioridad) en cuanto a los objetivos de las universidades británicas en los medios sociales.

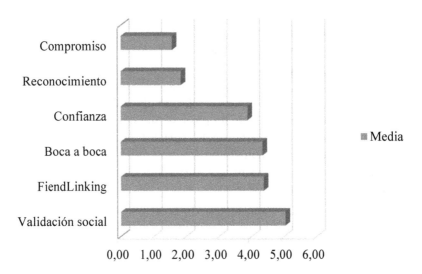

Fuente: elaboración propia

Lo que más desean las universidades es obtener el compromiso y el reconocimiento de sus públicos. Cómo lo van a conseguir, o lo que es lo mismo, qué estrategia siguen para alcanzar dichos objetivos determinará la consecución del mismo.

El 33,3% de las universidades encuestadas dice que diferencia las estrategias según el tipo de medio social. Es decir, son capaces de reconocer las diferencias de uso y de públicos en los distintos medios sociales y adaptan la estrategia según el tipo de medio en el que tengan presencia mientras que el 30% detalla una estrategia para cada plataforma. Estos datos apuntan a que las universidades británicas son conscientes de las especificidades de cada medio y entienden que deben adaptar su comunicación al tipo de medio en el que están presentes. Tan solo un 10% de las universidades dice tener una única estrategia global que no segmenta por plataformas.

El objetivo marcado por el plan de comunicación debería determinar en qué plataformas tener presencia. En el gráfico 2 se indican los medios que priorizan las universidades británicas.

Gráfico 2: medias obtenidas en los medios sociales

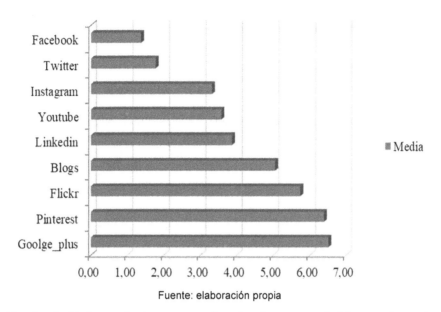

Fuente: elaboración propia

Facebook, Twitter e Instagram son las plataformas preferidas por las universidades británicas. El grado de penetración y la gran cantidad de público joven al que acogen podría justificar la preferencia de las universidades.

Pero la presencia pasiva en los medios sociales o la interpretación de estos como medios de emisión de información suponen un grave error. Es necesario participar de forma activa y relevante para los usuarios. Solamente así las marcas universitarias conseguirán el deseado diálogo. Para ello las marcas universitarias británicas diseñan estrategias basadas en la participación activa (contenidos actualizados y respuestas rápidas) y el interés (lo principal es investigar que quieren los usuarios y dar respuesta a sus demandas).

La participación en los medios sociales requiere ser gestionada por personas especializadas en ellos. Un equipo de trabajo que entienda las exigencias de los medios y que conozca bien la identidad de la institución. La concienciación que demuestran las universidades británicas se refleja también en que los medios sociales sean gestionados por un área específica en el 46,7%. El 23,3% de las universidades encarga la gestión de los medios sociales a personas concretas dentro del departamento de comunicación pero que tienen una dedicación específica y en el 13,3% de los casos los medios sociales son un departamento con entidad propia.

Esta especialización del departamento se complementa con perfiles profesionales altamente cualificados ya que el perfil actual de la persona que gestiona los medios sociales responde a un graduado universitario con formación complementaria en comunicación digital en el 33,3% de las universidades. Como poco, el responsable tiene formación universitaria en comunicación (26,7%) o en otras disciplinas (33,3%).

Medios sociales y públicos

A lo largo del marco teórico se ha expuesto la importancia de conocer a los públicos para poder diseñar estrategias de comunicación pertinentes y ajustadas a cada grupo de los stakeholders de la institución. En este sentido, tener una radiografía de los usuarios de cada plataforma es sencillo (existen numerosos informes y estadísticas muy detallados) pero lo interesante para este estudio era entender con quién quieren comunicarse las universidades en los medios sociales y a quienes consideran influencers de su marca en estos medios.

Respecto a qué segmentos de públicos les interesan más en los medios sociales, el tabla 1 confirma que los estudiantes son los stakeholders más buscados por las universidades seguidos, a gran distancia, de los egresados y el personal.

Tabla 1: medias obtenidas en la priorización de los stakeholders

Estudiantes	1,93	1,18
Egresados	2,71	3,11
Personal	3,25	3,54
Industria	4,93	5,43
Padres de estudiantes	5,54	4,18
Sociedad civil	5,79	6,21
Gobierno universitario	6,18	6,07
Asociaciones de estudiantes	6,68	6,89
Sindicatos	8,00	8,39

Fuente: elaboración propia

Además, estos públicos coinciden con aquellos que las universidades consideran como más influyentes para su marca. Las universidades consideran que los comentarios de los estudiantes, los egresados o los empleados son los que más pueden beneficiar o dañar a la marca.

Contenidos

En los medios sociales, usuarios y marcas hablan de tú a tú ya que los contenidos generados tanto por las instituciones como por los propios usuarios son capaces de alterar la reputación de las organizaciones (Benítez-Eyzaguirre, 2016).

Esto no hace sino complicar la batalla por la atención del usuario ya que las marcas han perdido esa posición privilegiada que tenían en otros medios. La gran cantidad de información que hay en los medios sociales hace que el formato empleado para publicar la información sea un filtro fundamental a la hora de seleccionar qué información se lee y cual no. Las universidades británicas priorizan la comunicación de los contenidos relacionados con la marca en formato foto o video seguido del formato link.

Así mismo, se preguntó a los responsables si a la hora de diseñar el plan de comunicación tenían más peso los contenidos académicos o los no académicos sin que los resultados demuestren una predominancia de un tipo frente a otro.

Cuando publican contenidos no académicos no se observan contenidos más importantes que otros aunque parecen despuntar los temas relacionados con la propia actividad de la universidad o los contenidos deportivos y culturales.

En relación a los contenidos académicos que los responsables creen que más contribuyen a reforzar la marca, las universidades británicas apuestan por las informaciones relacionadas con la innovación en la enseñanza, la investigación y la gestión universitaria.

CONCLUSIONES

Los resultados alcanzados en este estudio permiten dibujar algunas conclusiones que pretenden ahondar en el conocimiento de las universidades británicas y del uso que estas hacen de los medios sociales en sus planes de comunicación.

Los medios sociales son importantes, ocupan un papel destacado, aunque no puede decirse que sean prioritarios para las marcas universitarias británicas. No se trata de anteponer unos medios a otros puesto que cada uno cumple su función en el plan de comunicación pero si de ser consciente del alcance y del peso de los mismos a la hora de planificar la comunicación. Destinar recursos humanos y económicos a los medios sociales es, hoy en día, una obligación para cualquier institución educativa que parte de la necesaria concienciación de su papel en la institución.

El libro de estilo es reflejo del grado de implantación de los medios sociales en los planes de comunicación ya que ayuda a que todas las personas que desempeñan alguna labor de comunicación en los medios sociales bajo el nombre de la marca hablen con la misma voz, tengan una actitud similar, utilicen el mismo tono, y sigan las mismas reglas. Las universidades son conscientes de la necesidad de sistematizar los usos de las marcas que engloban en un único documento.

Las universidades británicas viven tiempos de cambio donde las prioridades se están redefiniendo. En este sentido se antoja imprescindible establecer relaciones sólidas basadas en el reconocimiento de su actividad por parte de los públicos de interés cuestión en la que los medios sociales pueden aportar mucho. La mercantilización de la educación lleva a las marcas universitarias a la búsqueda de establecer vínculos sólidos con sus stakeholders, duraderos en el largo plazo y las universidades británicas parecen conocedoras de esta necesidad.

Para ello se decantan por estar presentes en las plataformas mayoritarias (Facebook, Twitter e Instagram) y optan por utilizar estrategias basadas en el conocimiento del visitante y en la respuesta rápida. Esto, sin duda, demuestra un conocimiento de los medios sociales ya que los usuarios de estas plataformas exigen a las marcas una conversación y un diálogo constante y pertinente.

Las universidades británicas también demuestran un alto grado de escucha activa. Son más que conscientes de la necesidad de prestar atención a lo que dicen sus públicos. Y esto afecta tanto a la respuesta que tienen sus acciones de comunicación así como a comentarios que se hagan sobre la marca que sean iniciados por otros actores que no sea la universidad.

Se observa una implicación ligeramente superior con medir el alcance de la conversación iniciada por las propias instituciones que por supervisar la red en busca de otras acciones no controladas que afecten a la marca. En cualquier caso, parece claro que la gestión de los medios sociales en las universidades británicas corresponde a personas con formación específica que les permitirán desempeñar sus tareas con acierto.

Además, los resultados confirman que los más jóvenes son los públicos prioritarios de las universidades en los medios sociales. Tanto estudiantes como egresados tiene una presencia muy importante en la planificación de la comunicación a través de los medios sociales. Esta es, probablemente, una de las aportaciones más relevantes de este trabajo ya que confirma los resultados obtenidos en estudios previos en otros contextos.

La importancia de los medios sociales en la vida de los jóvenes va más allá de la comunicación ya que son herramientas decisivas para el entretenimiento, la información o las decisiones de compra. El conocimiento exhaustivo de los públicos contribuirá de forma decisiva al diseño y la gestión de la comunicación ya que definir bien los públicos, las plataformas y los usos ayudará a las universidades a dialogar con sus usuarios hasta conseguir el deseado reconcomiendo y compromiso con sus marcas.

Así mismo, el presente estudio presenta algunas limitaciones. La persona contactada ha sido el/la responsable de comunicación y/o medios sociales pero quizás no sea la persona que tome las decisiones. Ampliar el estudio para conocer la opinión de los órganos de gobierno podría contribuir a enriquecer el debate. El cuestionario parte de una visión global de la gestión pero quizás sería pertinente ahondar en el conocimiento de cada plataforma de manera particular.

Acknowledgments

Trabajo parcialmente financiado por el Gobierno de Extremadura

Consejería de Educación y Empleo

REFERENCIAS

Arquero, J.L & Romero-Frías, E. (2013): Using social network sites in Higher Education: an experience in business studies, *Innovations in Education and Teaching International*, 50:3, 238-249, DOI: 10.1080/14703297.2012.760772

Benítez-Eyzaguirre, L. (2016): Análisis de la recomendación entre iguales en la reputación online de las organizaciones. *El profesional de la información,* 25 (4): 652-660.

Benson, V, Saridakis, G. & Tennakoon, H. (2015): Purpose of social networking use and victimisation: Are there any differences between university students and those not in HE? *Computers in Human Behavior,* 51: 867–872.

Cancelo-Sanmartin, M.; Almansa-Martinez, A. (2013): Communication strategies in social networks. Comparative Study between Spain and Mexico universities. *Historia y Comunicación Social*, 18 (esp): 423-435

Chapleo, C.; Carrillo Durán, MV. & Castillo Díaz, A. (2011): Do UK universities communicate their brands effectively through their websites?, *Journal of Marketing for Higher Education,* 21:1, 25-46, DOI: 10.1080/08841241.2011.569589

Clark, M., M.B. Fine, y C.L. Scheuer (2017): Relationship quality in higher education marketing: the role of social media engagement. *Journal of Marketing for Higher Education*, 27 (1): 40-58.

European Commission (2008). Higher Education Governance in Europe. Policies, structures, funding and academic staff. Bruselas: Eurydice.

Fournier, S. and Avery, J. (2011): The uninvited brand. *Business Horizons,* 54 (3): 193-207.

García-Galera, M., & Fernández-Muñoz, C. (2016): *Si lo vives, lo compartes. Cómo se comunican los jóvenes en el mundo digital.* . Barcelona: Fundación Telefónica.

Gómez, M.; Roses, S. & Farias, P. (2012): The Academic Use of Social Networks among University Students. *Comunica Journal*, 38: 131-138. Disponible en: http://www.revistacomunicar.com/index.php?contenido=detalles&numero=38&articulo=38-2012-16

González-Díaz, C. Iglesias-García, M. & Codina, Ll. (2015): Presencia de las universidades españolas en las redes sociales digitales científicas: caso de los estudios de comunicación. *El Profesional de la Información*, 24(5): 640-647. doi:10.3145/epi.2015.sep.12

IAB (2016): Estudio anual de redes sociales. Disponible en: http://www.iabspain.net/wp-content/uploads/downloads/2016/04/IAB_EstudioRedesSociales_2016_VCorta.pdf

Kaplan, A. M., & Haenlein, M. (2010): Users of the world, unite! The challenges and opportunities of social media. *Business Horizons*, 53(1): 59–68.

Karami, S. & Naghibi, H.S. (2014): Social Media Marketing strategies for small to medium enterprises. *International Journal of Sales & Marketing Management Research and Development*, 4 (4): 11-20.

Karjaluoto, H.; Mustonen, N. & Ulkuniemi, P. (2015): The role of digital channels in industrial marketing communications. *Journal of Business & Industrial Marketing*, 30 (6): 703-710 http://dx.doi.org/10.1108/JBIM-04-2013-0092

Killian, G. & McManus, K. (2015): A marketing communications approach for the digital era: Managerial guidelines for social media integration. *Business Horizons,* 58 (5): 539–549

Knight, CG. & Kaye, L.K (2016) 'To tweet or not to tweet?' A comparison of academics' and students' usage of Twitter in academic contexts, *Innovations in Education and Teaching International*, 53:2, 145-155, DOI: 10.1080/14703297.2014.928229

Labrecque, L.I (2014): Fostering Consumer–Brand Relationships in Social Media Environments: The Role of Parasocial Interaction. *Journal of Interactive Marketing*, 28 (2): 134–148. doi:10.1016/j.intmar.2013.12.003

Lacayo-Mendoza, A. & de Pablos-Heredero, C. (2016). Managing relationships and communications in higher education efficiently through digital social networks: The importance of the relational coordination model. *DYNA 83* (195), pp. 138-146.DOI: http://dx.doi.org/10.15446/dyna.v83n195.49296

Lipiäinen, H.S.M & Karjaluoto, H. (2015): Industrial branding in the digital age, *Journal of Business & Industrial Marketing*, 30 (6): 733 – 741. http://dx.doi.org/10.1108/JBIM-04-2013-0089

Lopes, P.& Varela, M. (2014) Global university environment – which marketing strategies?, *INTED2014 Proceedings*, pp. 3086-3094.

Matsuo, H.; McIntyre, K.;Tomazic, T. & Katz, B. (2004): The Online Survey: Its Contributions and Potential Problems. Proceedings of the Survey Research Methods Section, American Statistical Association. Available at: http://www.amstat.org/sections/srms/Proceedings/y2004/files/Jsm2004-000440.pdf

Ministerio de Educación, C. y. (2017). *Sistema Integrado de Información Universitaria* . Obtenido de http://www.mecd.gob.es/educacion-mecd/areas-educacion/universidades/estadisticas-informes/siiu.html

Pergolino, M, Rothman, D., Miller, J. & Miller, J. (2012). The Definitive Guide to Social Marketing. A Marketo Workbook . Recuperado de: http://www.slideshare.net/ntdlife/definitive-guidetosocialmarketing-32648238.

Plewa, C.; Ho, J.; Conduit, J. & Karpen, I.O. (2016). Reputation in higher education: A fuzzy set analysis of resource configurations. *Journal of Business Research, 69*(8):3087-3095. http://dx.doi.org/10.1016/j.jbusres.2016.01.024

Shields, R. (2016): Following the leader? Network models of "world-class" universities on Twitter. *Higher Education*, 71 (2): 253-268. DOI 10.1007/s10734-015-9900-z

Valerio, G., Herrera-Murillo, D., Villanueva, F., Herrera-Murillo, N. and Rodríguez-Martínez, M. C. (2015). The Relationship between Post Formats and Digital Engagement: A Study of the Facebook Pages of Mexican Universities. *RUSC. Universities and Knowledge Society Journal*, 12(1): 50-63. doi: http://dx.doi.org/10.7238/rusc.v12i1.1887

Zailskaite-Jakste, L. & Kuvykaite, R. (2012): Implementation of Communication in Social Media by Promoting Studies at Higher Education Institutions. *Inzinerine Ekonomika-Engineering Economics*, 23(2), 174-188. http://dx.doi.org/10.5755/j01.ee.23.2.1550

ESTUDIO COMPARATIVO DEL USO DE LAS REDES SOCIALES PARA LA DIFUSIÓN DE ARTÍCULOS ACADÉMICOS EN PLATAFORMA LATINA DE REVISTAS DE COMUNICACIÓN (2013 – 2017)

Dra. Victoria Tur-Viñes
Universidad de Alicante. España
Cristina Domene-Beviá
Universidad de Alicante. España
Dra. Carmen Marta-Lazo
Universidad de Zaragoza. España

Resumen

Se presentan los resultados del plan de medios sociales de la Plataforma Latina de Revistas de Comunicación (PlatCom) integrada por 8 revistas académicas fundacionales y dos revistas honoríficas consorciadas. El estudio refleja la actividad desplegada en los últimos cinco años (2013-2017). El objetivo es describir la estrategia llevada a cabo en las redes sociales para difundir los artículos académicos y las actividades de PlatCom, así como cuantificar y valorar la interactividad generada y su contribución en los procesos de visibilidad científica. La singularidad de la incitativa reside en la gestión de carácter conjunto y mancomunado realizada para varias revistas de forma simultánea. Se realiza un estudio exploratorio descriptivo comparativo e interanual. El procedimiento consideró la recopilación anual de datos cuantitativos sobre las mismas variables para habilitar la comparación y facilitar la identificación de tendencias o posibles mejoras a realizar. Para ello, se utilizaron los datos extraídos mediante Google Analytics en los medios propios de PlatCom: el blog, dos redes sociales de carácter generalista (Facebook y Twitter) y dos redes sociales de ámbito académico (Academia.edu y Mendeley). En este periodo, las redes sociales y el blog fueron gestionadas a diario por una profesional especialista en Social Media. Las variables consideradas han sido: las visualizaciones o visitas, las descargas y el número de seguidores. La conclusión principal del estudio revela que las redes sociales y el blog son muy útiles a la hora de difundir los artículos académicos. Academia.edu obtiene los mejores resultados como red social para artículos académicos. Facebook y Twitter exigen un tipo de comunicación más distendida en el diseño de los mensajes. Como acción futura se sugiere incorporar Social Ads como herramienta de segmentación precisa para llegar al público objetivo que nosotros deseamos y estudiar la relación entre métricas alternativas y citación del artículo.

Palabras claves

Revistas científicas; redes sociales; blog; social media; artículos académicos; difusión online; visibilidad; marketing digital; comunicación online; Facebook; Twitter; Academia.edu; Mendeley

Introducción

La inquietud de los editores de revistas por la visibilidad de los textos más allá de la publicación puede marcar la diferencia entre distintos proyectos editoriales. Esta visión imprime carácter estratégico a la gestión editorial y permite extender la visión de las revistas como agentes activos en la compartición de los resultados científicos.

Varios encuentros científicos entre revistas reflejan esta inquietud. Muestra de ello han sido: I Encuentro de Revistas y Publicaciones Científicas sobre Comunicación (Barcelona, 2007), Encuentro de Revistas Científicas de Tenerife (Tenerife, 2011) y las 7 ediciones de la Conferencia de Revistas Españolas de Ciencias Sociales -CRECS-. También las mesas sobre revistas en las distintas ediciones del congreso bienal de la Asociación Española de Investigación de la Comunicación (AEIC) y en el VII Congreso Internacional de Investigación en Comunicación e Información Digital (Zaragoza, 2017).

Los temas que preocupan a los editores se relacionan con la calidad de las revistas, los procesos de evaluación, la digitalización de los procesos, la visibilidad de las revistas y sus contenidos, la difusión y el impacto. Como señalan Abadal y Rius (2008) las revistas padecen los siguientes problemas: la diversidad de editores (a veces abocados a una estéril rotación), bajo nivel de visibilidad, desigual nivel de calidad y la inexistencia de políticas editoriales para su promoción y difusión.

En contra de lo que afirmaron Zamora et al. (2007), 10 años después de su estudio, las revistas si son consideradas como objeto de estudio recurrente, también las de comunicación.

Sin ánimo de ser exhaustivos, los contenidos de las revistas, la autoría y el género han obtenido amplia atención investigadora. Encontramos investigaciones sobre autoría, productividad, citación e impacto publicadas, entre otros, por Giménez y Alcaín (2006), Delgado López-Cózar (2009), Santonja (2011), Castillo-Esparcia y Ruiz-Mora (2011), De Pablos (2011). Las redes sociales de las revistas han sido tratadas por Herrero-Gutiérrez, López-Ornelas y Álvarez-Nobell (2011), Segarra, Plaza y Oller (2011) y López-Ornelas, Álvarez-Nobell y Herrero-Gutiérrez (2012).

Destacamos algunos resultados. Castillo y Carretón (2010) estudian las 10 revistas con mejor factor de impacto en INRECS (proyecto que cesó la actualización de datos en 2010) mostrando una equiparación de géneros, la media de coautoría y la prevalencia de estudios cuantitativos.

El perfil de las revistas y su especialización han sido estudiados por Fernández-Quijada (2010) quien señala el incremento de textos de autores del ámbito, la prevalencia de la firma en solitario y del uso del español, la orientación iberoamericana de los estudios y el alto porcentaje de autocitación. Tur-Viñes et al (2014) aborda la especialización de las revistas concluyendo que la mayoría de revistas (80%) utiliza descriptores generalistas coincidentes con el campo científico o área de conocimiento y el 57% de revistas menciona subdisciplinas concretas manifestando un grado de especialización mayor.

Sobre el impacto de las revistas también han proliferado en los últimos años varios estudios. Delgado y Repiso (2013) consiguen afirmar que Google Scholar Metric (GSM) mide las revistas de forma muy parecida a los clásicos sistemas de evaluación de revistas (WOS y Scopus) y representa una alternativa fiable y válida para medir el impacto de las revistas e identificar las principales revistas de comunicación. De-Filippo (2013) analizó las tres revistas españolas incluidas en SSCI (Comunicar, Comunicación y Sociedad y Estudios sobre el Mensaje Periodístico) resaltando el importante papel de España como editor de revistas sobre Comunicación (4° del mundo) y como productor de artículos (6° del mundo) con una notable evolución en términos cuantitativos en los últimos años.

Especial interés revisten las recomendaciones sobre estrategias de difusión y visibilidad. Robinson-García, Delgado-López-Cózar y Torres-Salinas (2011) encuentran en la fórmula de acceso abierto las mejores condiciones para la óptima visibilidad e impacto de las publicaciones científicas aunque puntualizan que el espacio digital, en todas su variantes, amplían el escaparate donde exponer los contenidos de las revistas pero no influyen de forma determinante en el impacto, de momento, coincidiendo con Davis (2011) ya que los medios sociales permiten contactar mejor con la sociedad en general y no solo con la comunidad científica. Es previsible que el incremento imparable que están experimentando las redes sociales académicas (Academia.edu, ResearchGate, entre otras) posibilite un uso social mejor segmentado que si redunde en citación. En ese sentido Niyazov et al. (2014) corroboró que los textos subidos a Acadeia.edu aumentan un 69% de citación en un periodo de 5 años.

Concretando recomendaciones, Torres-Salinas y Delgado-López-Cózar (2009) sugieren las microaudiencias (pequeños nichos de usuarios cientñificos digitales con alto interés en un ámbito de investigación) y alientan la creación de perfiles en Twitter, Facebook, Slideshare y repositorios temáticos o institucionales. La digitalización de contenidos, la inclusión en portales, la difusión en libre acceso, la elaboración de versiones multilingües, la comunicación de novedades, la medición de la audiencia y la inclusión en bases de datos son aconsejados por Abadal y Rius (2008) para mejorar la difusión y el impacto.

La incorporación actual de investigadores "nativos digitales" (Prensky, 2001; Piscitelli, 2006) acostumbrados al acceso universal e instantáneo a la información científica está difuminando la tradicional separación entre medios formales e informales, como anticipó Fink y Bourne (2007) y corroboran Robinson-García, Delgado-López-Cózar y Torres-Salinas (2011). Este nuevo perfil de investigador alimenta sus perfiles en las redes sociales y comenta activamente las investigaciones en el contexto digital. Los editores pueden involucrarles

En este estado de cosas, 8 revistas de Comunicación se unen en 2011 conciliando intereses para compartir la gestión de la difusión de sus contenidos en redes sociales, protocolos de revisión y normas de preparación de textos para ofrecer un valor añadido al investigador de la Comunicación. Este esfuerzo hubiera sido inviable en solitario para cada revista en los inicios de cada proyecto ya que en el comienzo las prioridades internas superan a las de difusión externa. Se presenta en este texto un balance preliminar de dicha alianza.

La Plataforma Latina de Revistas de Comunicación (PlatCom) es una meta-revista, una revista de revistas científicas de comunicación, y surge con la intención de simplificar el proceso de la publicación sin renunciar al rigor científico. Para ello, las revistas asociadas han adoptado un único modelo de normas de estilo para artículos y un único modelo para la evaluación de artículos. Cualquier autor o evaluador tendrá las mismas pautas de actuación en cada una de las revistas asociadas a PlatCom. De este modo los editores de PlatCom quieren contribuir a simplificar y agilizar el proceso de publicación científica.

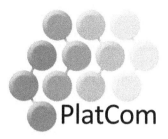

Ilustracion 1. Logo de PlatCom

La Plataforma Latina de Revistas de Comunicación está integrada por 8 revistas académicas fundacionales y dos revistas honoríficas consorciadas.

Figura 1. El contenido actual en el blog de PlatCom es el reflejo de su constante actividad

Fuente: elaboración propia

Debido al tema que se trata en estas revistas, la comunicación, desde un inicio se ha tenido claro que la difusión y comunicación de nuestros artículos debía ser uno de los pilares fundamentales de PlatCom. Por este motivo, desde la fundación de esta plataforma se ha decidido contar con una profesional en comunicación online para poder abordar esta tarea.

Este estudio refleja la actividad desplegada en los últimos cinco años (2013-2017), así como los resultados del plan de medios sociales de PlatCom.

Nuestros objetivos principales han sido:

- Describir la estrategia llevada a cabo en las redes sociales para difundir los artículos científicos y las actividades de la Plataforma
- Cuantificar y valorar la interactividad generada y su contribución en los procesos de visibilidad científica

La singularidad de la incitativa reside en la gestión de carácter conjunto y mancomunado realizada para varias revistas de forma simultánea. Se realiza un estudio exploratorio descriptivo comparativo e interanual.

Método

El procedimiento consideró la recopilación anual de datos cuantitativos sobre las mismas variables para habilitar la comparación y facilitar la identificación de tendencias o posibles mejoras a realizar. Para ello, se utilizaron los datos extraídos mediante Google Analytics y Social Stats en los medios propios de PlatCom:

Figura 2. Procedimiento. Fuente: elaboración propia

- El blog:
    - http://plataformarevistascomunicacion.org
- Dos redes sociales de carácter generalista (Facebook y Twitter)
    - https://www.facebook.com/plataformarevistascomunicacion/
    - https://twitter.com/revcomunicacion

- Dos redes sociales de ámbito académico (Academia.edu y Mendeley).
  - https://independent.academia.edu/PlataformaLatinaRevistasComunicación
  - https://www.mendeley.com/profiles/plataforma-revistas-comunicacion/

En este periodo, las redes sociales y el blog fueron gestionadas a diario por una profesional especialista en Social Media.

Las variables consideradas han sido:

- Las visualizaciones o visitas

- Las descargas

- El número de seguidores.

Resultados

Los resultados obtenidos entre 2013 y 2017 fueron los siguientes:

- El Blog de la Plataforma Latina de Revistas de Comunicación recibió 81.671 visitas a páginas totales y 42.858 sesiones totales

Figura 3. Resultados de nuestro Blog. Fuente: Google Analytics

- Las sesiones en el Blog crecieron de forma exponencial: cada año atraían a muchas más personas que el año anterior.
- La red social Academia.edu recibió 52.316 visitas y consiguió 2.298 seguidores.
- Facebook consiguió 2.447 Me gusta y 2.421 seguidores.

- Twitter consiguió 97.800 impresiones aproximadamente, 470 Me gusta, 761 clicks y 258 Retweets tan solo en el último año (2016-2017).

Discusión y conclusiones

Tras realizar este estudio comparativo pudimos extraer varias conclusiones.

La conclusión principal del estudio revela que las redes sociales y el blog son muy útiles a la hora de difundir los artículos académicos.

- Academia.edu obtiene los mejores resultados como red social para artículos académicos.
- Facebook y Twitter exigen un tipo de comunicación más distendida en el diseño de los mensajes.

Figura 4. Resultados en Academia.edu. Fuente: elaboración propia

Otras conclusiones secundarias:

- Facebook es la red social que más visitas proporciona a la web.
- Todas las redes sociales han aumentado sus visitas e interacciones año tras año. Por lo que nuestra visibilidad mejora con el tiempo y trabajo constante.
- Más del 20% de las visitas de nuestra web provienen de las redes sociales. Las redes sociales, efectivamente, ayudan a dar visibilidad a los artículos
- Google+ nos posiciona de forma orgánica en Google.
- Los artículos son vistos en su mayoría por personas de habla hispana, destacando España, Argentina, México y Colombia.

Como acción futura se sugiere incorporar Social Ads, como por ejemplo Facebook Ads, como herramienta de segmentación precisa para llegar al público objetivo que nosotros deseamos y estudiar la relación entre métricas alternativas y citación del artículo.

Figura 5: Resultados de una publicación de Facebook promocionada con Facebook Ads.
Fuente: elaboración propia

Tras realizar este estudio comparativo del uso de las redes sociales para la difusión de artículos académicos, pudimos elaborar también un listado de recomendaciones para mejorar la visibilidad de las revistas académicas:

✓ Cada revista debe contar con una página web
✓ La página web debe contar con pestañas específicas para que la información sea fácil de localizar por los nuevos visitantes de la web. Será de vital importancia contar con un apartado en el menú principal para Noticias y otro para Call for Papers. Evidentemente, será también necesario tener una pestaña para Publicaciones y para Contacto.
✓ Cada revista debe de contar con sus propias redes sociales
    o Facebook, Twitter y Academia.edu son las redes más interesantes para este sector.
✓ La página web y las redes sociales deben de estar siempre actualizadas
✓ Es recomendable publicar poco a poco, es decir, publicar cada uno de los artículos por separado y no esperar a tener el número completo.
✓ Se recomienda publicar noticias. Google da visibilidad a las páginas web que están en constante movimiento. Por ejemplo, se pueden publicar noticias sobre los nuevos números de la revista, call for papers, congresos, indexaciones...etc.
✓ Se sugiere el uso de los Social Ads para llegar al público objetivo.

Referencias bibliográficas

Abadal, E. y Rius Alcaraz, L. (2008). Revistas científicas de las universidades españolas: acciones básicas para aumentar su difusión e impacto. Revista española de Documentación Científica, 31(2), 240-260. doi:http://dx.doi.org/10.3989/redc.2008.v31.i2.427

Castillo, A. y Carretón, M. (2010) Investigación en Comunicación. Estudio bibliométrico de las Revistas de Comunicación en España. Comunicación y Sociedad, XXIII (2), 289-327.

Castillo-Esparcia, A. y Ruiz-Mora, I (2011). Las revistas científicas de Comunicación en Latindex. En MC Fonseca-Mora (Coord.): Acceso y visibilidad de las revistas científicas españolas de Comunicación. Colección Cuadernos Artesanos de Latina/ 10, pp.23-37. La Laguna (Tenerife): Sociedad Latina de Comunicación Social.

Davis, P. M. (2011). Open access, readership, citations: a randomized controlled trial of scientific journal publishing. The FASEB Journal, 25, 1-6.

De-Filippo, D. (2013). La producción científica española en Comunicación en WOS. Las revistas indexadas en SSCI (2007-12). Comunicar, 21(41), 25-34.

De Pablos, J.M. (2011). Productividad científica e índice de impacto de las revistas españolas de Comunicación. En MC Fonseca-Mora, (Coord.): Acceso y visibilidad de las revistas científicas españolas de Comunicación. Colección Cuadernos Artesanos de Latina/ 10, pp. 23-37. La Laguna (Tenerife): Sociedad Latina de Comunicación Social.

Delgado-López-Cózar, E. (2009). Las revistas españolas de Comunicación a través del IN-RECS/IN-RECJ (Índice de impacto de las revistas Españolas de Ciencias Sociales y Jurídicas. En Actas del I Congreso Internacional Latina de Comunicación, Tenerife.

Delgado, E., & Repiso, R. (2013). El impacto de las revistas de comunicación: comparando Google Scholar Metrics, Web of Science y Scopus. Comunicar, 21(41).

Fink, J. L., & Bourne, P. E. (2007). Reinventing scholarly communication for the electronic age. CTWatch Quarterly, 3(3), 26-31.

Fernández-Quijada, D. (2010). El perfil de las revistas españolas de comunicación (2007-2008). Revista española de documentación científica, 33(4), 553-581.

Giménez-Toledo, E., & Alcain-Partearroyo, M. (2006). Estudio de las revistas españolas de periodismo. Comunicación y Sociedad, vol. XIX, 2, 107- 131.

Herrero-Gutiérrez, J.J., López-Ornelas, M. y Álvarez-Nobell, A. (2012). Análisis cibermétrico de cinco Revistas emergentes de comunicación en sus dos primeros años en línea: Revista Mediterránea de Comunicación; Fonseca, Journal Of Communication; Miguel Hernández Communication Journal; Revista Pangea y Fotocinema. Index Comunicación, 2, 69-90.

López-Ornelas, M., Álvarez-Nobell, A. y Herrero-Gutiérrez, F.J. (2012). Plataforma Latina de Revistas de Comunicación: Análisis cibermétrico e inmersión en las redes sociales. En Actas del IV Congreso Internacional Latina de Comunicación Social– IV CILCS – Universidad de La Laguna.

Niyazov Y, Vogel C, Price R, Lund B, JuddD, Akil A, et al. (2016). Open Access Meets Discoverability: Citations to Articles Posted to Academia.edu. PLoS ONE 11(2): e0148257. doi:10.1371/journal.pone.014825

Prensky, M. (2001). Nativos e Inmigrantes Digitales. Madrid: Institución Educativa SEK.

Piscitelli, A. (2006). Nativos e inmigrantes digitales: ¿brecha generacional, brecha cognitiva, o las dos juntas y más aún? Revista mexicana de investigación educativa, 11(28), 179-185.

Robinson-García, N., Delgado-López-Cózar, E., & Torres-Salinas, D. (2011). Cómo comunicar y diseminar información científica en Internet para obtener mayor visibilidad e impacto. Aula abierta, 39(3), 41-50.

Santonja, L. (2011). Informe sobre calidad de las revistas en el área de Comunicación. Revistas mejor valoradas en los sistemas de evaluación. Madrid: Biblioteca de Humanidades, Comunicación y Documentación. Universidad Carlos III.

Segarra, J., Plaza, A. y Oller, M. (2011). Presencia y gestión de la comunicación de las revistas científicas de Ciencias Sociales en Internet y los social media. En MC Fonseca-Mora (Coord.): Acceso y visibilidad de las revistas científicas españolas de Comunicación. Colección Cuadernos Artesanos de Latina/ 10, pp.61-81.

Torres-Salinas, D. y Delgado-López-Cózar, E. (2009). Estrategias para mejorar la difusión de los resultados de investigación con la Web 2.0. El profesional de la información, 18, 534-539.

Tur-Viñes, V., López Sánchez, C., García del Castillo Rodríguez, J. A., López Ornelas, M., Monserrat-Gauchi, J., & Quiles Soler, M. C. (2014). Especialización y revistas académicas españolas de Comunicación. Revista Latina de Comunicación Social, (69), 12-40.

Zamora, H; Aguillo, I; Ortega, J. L. et al. (2007). Calidad formal, impacto y visibilidad de las revistas electrónicas universitarias españolas. El Profesional de la Información, 16 (1).

CAPÍTULO VI

LA APUESTA INTERNACIONAL DE DOXA COMUNICACIÓN. PARÁMETROS DE CALIDAD Y DESAFÍOS EDITORIALES[6]

Dr. Ignacio Blanco Alfonso
Universidad CEU San Pablo, España
Dra. Cristina Rodríguez Luque
Universidad CEU San Pablo, España

Resumen

La cabecera *Doxa Comunicación. Revista interdisciplinar de estudios de comunicación y ciencias sociales* acumula 15 años de peripecia editorial. La incorporación progresiva y constante de estándares de calidad la sitúan entre las principales revistas científicas españolas en el ámbito de las Ciencias Sociales. Pero aún queda un largo trecho hasta alcanzar los índices de impacto internacionales.

Con el objetivo de que *Doxa Comunicación* aumente el interés de investigadores y académicos como plataforma de transferencia del resultado de sus investigaciones, el equipo de dirección se encuentra inmerso en un proyecto de internacionalización y de mejora del factor de impacto de la revista. El siguiente texto ofrece una descripción diacrónica de los hitos alcanzados en este proceso.

El reto, sin embargo, enfrenta a *Doxa Comunicación* con su propia realidad, que es compartida por otras revistas españolas: la profesionalización frente al compromiso personal de sus responsables. Si bien la vocación de servicio a la comunidad científica con que fue fundada en 2003 permanece intacta y alienta la publicación de dos números al año en edición bilingüe, lo cierto es que el ecosistema de índices de impacto internacional impone unas exigencias profesionales difícilmente asumibles sobre la única base del voluntarismo de editores y revisores externos.

Está fuera de toda discusión que la comunidad científica necesita un amplio espectro de revistas en las que difundir el resultado de su trabajo. El futuro de la ciencia española requiere, además, que dicho elenco de cabeceras cuente con un número significativo de ellas presente en los índices de impacto internacionales. Sin embargo, la asunción de este compromiso con la comunidad científica española y el reto de afrontar la internacionalización

---

[6] Este trabajo se encuadrada dentro del Programa de Actividades sobre Vulnerabilidad Digital (PROVULDIG-CM), referencia S2015/HUM-3434, financiado por la Comunidad de Madrid y el Fondo Social Europeo.

de nuestras revistas nos lleva a someter a discusión, a través del caso de *Doxa Comunicación*, las acciones y los procedimientos adecuados para lograrlo.

Palabras clave

Doxa Comunicación, Ciencias Sociales, revistas científicas, gestión editorial, factor de impacto

Introducción

La renovación del conocimiento solo se consigue cuando se conoce lo que se ha avanzado en cualquier campo de la ciencia. Es imposible progresar si se ignora lo que otros ya han descubierto. Para tal fin, las revistas científicas son instituciones que desempeñan una función imprescindible al posibilitar la transferencia de nuevo conocimiento entre los miembros de la comunidad científica. Sin embargo, en un mundo digital y globalizado, donde las interacciones humanas son instantáneas y, a menudo, efímeras, la transmisión de hallazgos y nuevas perspectivas sobre los acuciantes problemas científicos debe fundamentarse en la confianza de que la información que se publica responde a criterios de cientificidad, calidad y utilidad.

Conscientes de esta misión, *Doxa Comunicación. Revista interdisciplinar de estudios de comunicación y ciencias sociales*, lleva 15 años prestando servicio a la comunidad científica nacional e internacional. Fundada en 2003 en el seno del Departamento de Periodismo de la Universidad CEU San Pablo de Madrid, nació auspiciada por el profesor Luis Núñez Ladevéze, a la sazón director de dicho Departamento, con la colaboración de los profesores Salomé Berrocal Gonzalo e Ignacio Blanco Alfonso.

En su editorial fundacional se declaraba el propósito de la revista de mostrar "la disposición de la Universidad CEU San Pablo a la relación intelectual, a la innovación y a la transmisión del conocimiento para fomentar foros de interacción científica en la comunidad universitaria" (Doxa Comunicación, 2003). La nueva cabecera aspiraba "a ser una prueba de rigor, independencia, criterio, diálogo interdisciplinar y analítico en el campo de las ciencias sociales, específicamente las orientadas al estudio de las bases teóricas y los desarrollos cognoscitivos de la comunicación colectiva: el periodismo, la opinión pública, el derecho de la información, la publicidad y la comunicación audiovisual".

> "Nada de lo que está escrito en el ámbito de la ciencia –proseguía aquel pliego de intenciones– tiene por fin quedar definitivamente establecido. Por su propia naturaleza, el conocimiento científico es relativo y transitorio. No es que esté abierto a la crítica, es que se alimenta de ella porque su fin es la continua renovación. Por su exposición a la comprobación, a la refutación y al debate, el conocimiento científico, más que ninguna

otra actividad humana, sobrevive a la insufrible condición prometeica de progresar sin necesidad de saber dónde están los cimientos ni dónde se encontrará la meta. *Doxa Comunicación* se fundamenta en la firmeza de quienes saben que la ciencia no es un fin por sí mismo, sino un servicio al hombre y a la humanidad.

Doxa Comunicación comparte el criterio de que el conocimiento no agota plenamente su sentido renovándose y progresando, sino transformándose en instrumento de una finalidad humanística que lo trasciende. Y si esto es verdad en cualquier ámbito científico, ha de serlo por su específica condición en el de las ciencias de la comunicación humana. Parafraseando a Gadamer, **Doxa Comunicación** asume como lema que será 'mal comunicador el que crea que puede o debe quedarse con la última palabra'. Nos proponemos que este lema sea un principio, un punto de partida y no una conclusión ni un destino. De nuestra humildad como científicos surge la convicción de que la última palabra no puede estar al alcance de ningún conocimiento renovable" (Doxa Comunicación, 2003).

Por lo tanto, *Doxa Comunicación* se fundó sobre los pilares de la innovación y la renovación del conocimiento, la interacción con otras comunidades científicas, el diálogo interdisciplinar, el rigor editorial, la humildad intelectual y la vocación de servicio a la humanidad.

El hecho de nacer en el seno de un departamento universitario y no, por ejemplo, en el de una empresa editorial, le confirió inmediatamente algunos de sus rasgos constitutivos, compartidos por otras revistas semejantes: nunca ha perseguido el ánimo de lucro (la difusión es abierta y gratuita) ni ha repercutido contra los autores ninguna tasa por proponer, evaluar ni publicar manuscritos. Tampoco se gratifica monetariamente el trabajo del equipo editorial ni de los revisores externos. La estructura de funcionamiento se basa en el voluntarismo y el compromiso de las personas que hacen posible la publicación semestral de la revista, lo que realza el valor de los logros alcanzados por *Doxa Comunicación* durante estos 15 años de vida.

Objetivos generales

En el presente trabajo proponemos al lector una reflexión sobre las reformas necesarias que puede acometer una revista científica española de Ciencias Sociales para mejorar el alcance y repercusión de los trabajos que publica, es decir, para que las investigaciones de sus autores consigan la relevancia que merecen y un adecuado factor de impacto.

Como es sabido, el factor de impacto es un indicador dependiente de variables endógenas y exógenas a la propia revista. En este trabajo se describirán las acciones llevadas a cabo por *Doxa Comunicación* para afianzar los criterios de calidad editorial, informativa y del proceso de revisión de originales, así como las acciones conducentes al aumento de la difusión de los contenidos y la atracción de investigadores solventes y rigurosos.

Método

Ofrecemos al lector una radiografía de la situación actual de *Doxa Comunicación*, con el detalle pormenorizado de los hitos logrados con el paso del tiempo y de los indicadores que pueden objetivamente orientar la necesaria internacionalización a la que aspira la revista.

Se ha procedido a un vaciado sistemático de las contribuciones publicadas por *Doxa Comunicación* durante sus 15 años de vida, cuyos datos son presentados con tablas y figuras que facilitan la comprensión de los mismos.

Así mismo, se ofrece una relación de los indicadores externos de calidad de la revista, con la presencia en bases de datos, repositorios e índices de evaluación.

Finalmente, se enuncian las acciones de mejora que han sido recientemente implementadas o que lo serán en próximas fechas, y que deberían incrementar la calidad de *Doxa Comunicación*, así como la repercusión e impacto de la investigación de sus autores.

Resultados

El contenido del análisis efectuado sobre los 15 años de vida de *Doxa Comunicación* arroja una serie de indicadores que permiten calibrar la posición relativa de la revista entre sus pares nacionales.

Se ofrecen, en primer lugar, los datos referidos a las *variables endógenas* de la propia publicación:

1. Consecución de los objetivos propuestos por la revista

2. Composición de sus consejos editorial y científico evaluador

3. Parámetros de calidad editorial, informativa y de revisión de originales

4. Indicadores de exogamia y endogamia

5. Últimos indicadores de recepción, aceptación y rechazo de originales

6. Tasa de internacionalización de los autores

A continuación, se expone la información referida a las *variables exógenas* de la revista:

1. Presencia en bases de datos, repositorios e índices de calidad

El trabajo finaliza con un apartado referido a las últimas mejoras implementadas en *Doxa Comunicación* y un avance de las acciones que la cabecera se propone llevar a cabo próximamente.

Análisis de las variables endógenas de calidad de la revista.

1. Consecución de los objetivos propuestos por Doxa Comunicación.

Como se mencionó en la introducción, la revista nació con la vocación de contribuir al progreso de la ciencia nacional e internacional. Así expresado puede parecer un objetivo difuso que, sin embargo, se sustenta en hechos concretos, comenzando por la propia creación de la revista.

Pretendían sus fundadores lanzar una cabecera que ensanchara el elenco de publicaciones académicas españolas existente a principios de este siglo en el campo de las Ciencias Sociales. Tras la Declaración de Bolonia el 19 de junio de 1999, la Universidad española afrontaba el comienzo del siglo XXI con el desafío de adaptarse al Espacio Europeo de Educación Superior (Declaración de Budapest-Viena, 2000), cuyos retos –conviene recordarlo– no solo pasaban por la adaptación de los planes de estudio al sistema de transferencia de créditos europeos (ECTS), sino a la incorporación de protocolos de verificación de la calidad de la enseñanza que cristalizarían en la oficialización de las titulaciones, de los centros de enseñanza y del profesorado.

La acreditación del personal docente e investigador acabaría basándose, en gran medida, en la evaluación de la actividad investigadora, de donde devino la necesidad perentoria de poner a disposición de la comunidad universitaria una tupida red de revistas científicas de calidad que pudiera transferir el creciente volumen de resultados de la investigación. De hecho, en opinión de los editores de las revistas españolas de Comunicación, su "papel primordial será ayudar a la acreditación de los investigadores" (Baladrón y Correyero, 2012: 36).

En este contexto, *Doxa Comunicación* nació en 2003 con la vocación de servicio a la comunidad científica nacional e internacional, y más allá de otros parámetros de calidad que enseguida comentaremos, se puede afirmar que su trayectoria de 15 años de publicación ininterrumpida es probada muestra del cumplimiento de este objetivo germinal.

Desde su fundación en 2003, la revista ha publicado 606 contribuciones distribuidas en los cuatro apartados que dividen su contenido: artículos y ensayos científicos, notas de investigación, reseñas de novedades bibliográficas y noticias de tesis doctorales.

Como puede observarse en la figura 1, el 39% de los textos publicados en *Doxa Comunicación* (236) son artículos y ensayos científicos, y notas de investigación. En total, en los 25 números de la revista, se han publicado

212 artículos y ensayos científicos, y 24 notas de investigación. Como secciones propias de esta publicación, figuran también 215 reseñas bibliográficas que representan un 35,5% de la revista y 155 noticias de tesis doctorales que suponen un 25,6%.

Figura 1. Tipo de textos publicados en los 25 números de *Doxa Comunicación*

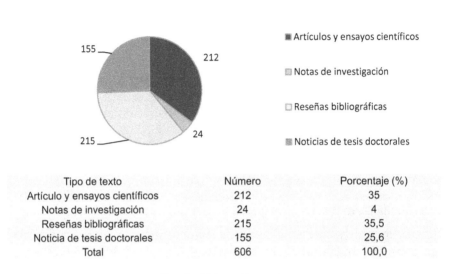

Tipo de texto	Número	Porcentaje (%)
Artículo y ensayos científicos	212	35
Notas de investigación	24	4
Reseñas bibliográficas	215	35,5
Noticia de tesis doctorales	155	25,6
Total	606	100,0

Fuente: Elaboración propia

La proporción de contribuciones hay que observarla atendiendo a la periodicidad de la revista, que muestra la Tabla 1. Si se analiza en detalle el tipo de texto de los 25 números, se ve que, en los 6 primeros el número de artículos era mayor con una media de 12 por número y, a partir de *Doxa VII*, cuando la publicación comienza a ser semestral -con un número en mayo y otro en noviembre- el número de artículos se reduce a una media de 7,36 artículos por ejemplar, con un mínimo de 5 y un máximo de 9.

La sección titulada "Notas de investigación", donde se da cabida a avances de resultados y a investigaciones en desarrollo, cuenta con menor número de contribuciones. En concreto, entre 1 y 3. En cuanto a las reseñas de novedades editoriales, se publican una media de 8,6 por ejemplar. El máximo de reseñas lo contiene el número XVII con 15 reseñas y el mínimo, el número VII que sólo tiene 1 reseña bibliográfica.

Respecto a las "Noticias de tesis doctorales", sección que nació para divulgar las novedades en este campo académico, el máximo lo registra la revista XXI con 11 tesis, y el mínimo, los números XIII, XIX y XX en los que no se incluye ninguna. La media de tesis doctorales de las que se da noticia en los 25 números es de 6,2.

Tabla 1. Cronograma de tipos de texto publicados en los 25 números de *Doxa Comunicación*

	Nº Revista	Artículos y ensayos científicos	Notas de investiga-ción	Reseñas bibliográ-ficas	Noticias de tesis doctorales	Total
ANUAL	I (2003)	12	0	6	5	23
	II (2004)	13	0	8	9	30
	III (2005)	15	0	11	9	35
	IV (2006)	10	0	13	9	32
	V (2007)	10	0	10	9	29
	VI (2008)	12	0	10	8	30
SEMESTRAL (mayo y noviembre)	VII (11/2008)	7	2	1	6	16
	VIII (05/2009)	8	2	9	5	24
	IX (11/2009)	8	2	8	8	26
	X (05/2010)	8	2	10	6	26
	XI (11/2010)	5	3	7	7	22
	XII (05/2011)	5	3	8	4	20
	XIII (11/2011)	8	2	8	0	18
	XIV (05/2012)	7	1	9	6	23
	XV (11/2012)	8	1	11	5	25
	XVI (05/2013)	8	1	11	10	30
	XVII (11/2013)	8	0	15	4	27
	XVIII (05/2014)	8	0	8	5	21
	XIX (11/2014)	9	0	5	0	14
	XX (05/2015)	8	0	6	0	14
	XXI (11/2015)	7	2	6	11	26
	XXII (05/2016)	6	2	12	6	26
	XXIII (11/2016)	7	0	7	8	22
	XIV (05/2017)	7	1	10	6	24
	XV (11/2017)	8	0	6	9	23
	Totales	212	24	215	155	606

Fuente: Elaboración propia

2. Composición de los consejos editorial y científico evaluador.

Un elemento distintivo de este tipo de publicaciones es la existencia de consejos científicos integrados por profesionales e investigadores de reconocido prestigio en el área de conocimiento. Su presencia en la página de créditos de la revista avala la calidad de la misma y refuerza el compromiso de establecer redes intelectuales que faciliten la interacción entre grupos e investigadores nacionales e internacionales.

En el caso de *Doxa Comunicación*, y de acuerdo –entre otros- con los criterios 1, 2 y 8 de calidad editorial establecidos por FECYT en su sistema de evaluación de la calidad de las revistas científicas españolas (FECYT, 2007), aparecen diferenciados en tres bloques los miembros del Equipo directivo, del Consejo editorial y del Consejo científico internacional, todos con mención de su filiación institucional.

El Consejo editorial está compuesto por 13 miembros, de los que 8 (61,5%) son externos a la Universidad CEU San Pablo (el criterio 2 establece que al menos un tercio de dicho consejo será externo a la institución promotora de la revista).

El Consejo científico internacional está compuesto por 45 miembros, todos ellos externos a la institución promotora de la revista; 13 de ellos (29%) están afiliados a centros de investigación internacionales de Europa, América del Sur y Estados Unidos (el criterio 8 establece al menos un 10% de los miembros será internacional).

3. Parámetros de calidad editorial, informativa y de revisión de originales.

Desde su nacimiento, *Doxa Comunicación* aspiró a convertirse en una revista científica de referencia, lo que pasaba por implementar una serie de estándares de calidad que afectarían a la configuración de tres ámbitos en cierto modo relacionados entre sí: la estructura de la revista, la difusión de los contenidos y la relación con los autores.

No es necesario enumerar aquí los parámetros de calidad editorial por ser de sobra conocidos y compartidos por las agencias e instituciones que verifican la excelencia de las revistas. En el caso de *Doxa Comunicación*, la incorporación de estos estándares se basó inicialmente en la observación de los 33 criterios de calidad de Latindex, de cuyo catálogo principal la revista forma parte desde octubre de 2005.

En junio de 2008, tras la celebración de la primera convocatoria de evaluación de la calidad de las revistas científicas españolas llevada a cabo por la FECYT, *Doxa Comunicación* fue enriqueciendo paulatinamente su política editorial e incorporando dichas recomendaciones. En 2014, la revista participó en la IV convocatoria de evaluación de revistas científicas españolas, donde obtuvo el sello de calidad que evidencia el cumplimiento de los mencionados parámetros.

Este proceso cristalizó en una "**Declaración de Conducta y Buenas Prácticas**" por parte de *Doxa Comunicación*, cuyo texto dice así:

"La revista *Doxa Comunicación* declara que su objetivo fundamental es contribuir al progreso del conocimiento científico. Ningún interés comercial ni económico subyacen a la actividad editorial y divulgativa de esta revista, por lo que la aceptación o rechazo de los manuscritos recibidos se ajustará escrupulosamente a los principios de cientificidad de los textos y a los estándares de calidad editorial propios de las publicaciones científicas.

A continuación, se especifican los criterios de conducta y buenas prácticas que rigen la actividad del Consejo Editorial, así como el compromiso de los autores y de los evaluadores externos de *Doxa Comunicación*:

I. Compromiso del Consejo Editorial

Doxa Comunicación asegura la confidencialidad de los autores de los textos recibidos y de los evaluadores relacionados con el proceso de revisión externa.

Doxa Comunicación decidirá sobre la publicación de los textos en un plazo que no perjudique su actualidad: un mes como máximo para la aceptación o rechazo del manuscrito, y cuatro meses más para la aceptación o denegación definitiva.

Doxa Comunicación someterá todos los originales recibidos a evaluación externa, doble y anónima por especialistas del área o tema. Para ello se servirá de los términos de referencia y glosarios incluidos en los manuscritos.

En caso de que el sentido de las evaluaciones sea divergente, *Doxa Comunicación* se compromete a enviar el manuscrito a un tercer evaluador, cuyo dictamen será definitivo para la aceptación o no del trabajo.

Doxa Comunicación mantendrá informados a los autores sobre la fase en que se encuentren los originales durante el proceso de evaluación.

El elenco de evaluadores externos será revisado y actualizado periódicamente.

La aceptación de originales se atenderá a criterios de rigor conceptual, coherencia racional, relevancia científica del área temática de la publicación y de no conculcación del ideario institucional de respeto a la dignidad de las personas.

Doxa Comunicación tendrá permanentemente abierto un buzón de quejas a las que responderá unitariamente.

II. Compromiso de publicación para autores

Los autores de los manuscritos garantizan que los textos remitidos a *Doxa Comunicación* son originales no publicados completa o parcialmente en otra revista.

Los autores utilizarán la bibliografía más solvente y actual relativa al tema sobre el que versa el artículo.

Los autores no discriminarán por motivos ideológicos o intereses comerciales o de otro tipo las referencias y fuentes de autoridad utilizadas.

Los autores se comprometen a incluir una copia anónima del original que será utilizada para la doble revisión externa.

III. Compromiso de evaluadores externos

Los evaluadores aplicarán criterios de racionalidad científica en la ponderación de los textos que se les envíen para su revisión.

Los evaluadores se comprometen a elaborar un informe ecuánime en el que se especifique el grado de aportación, actualidad, consistencia, rigor y claridad expositiva del texto.

Antes de aceptar la revisión de un manuscrito, los evaluadores indicarán a la dirección de la revista si el tema se ajusta a su especialidad y alertarán de eventuales conflictos de intereses.

Los evaluadores se comprometen a cumplir los plazos señalados por la dirección de *Doxa Comunicación*, de modo que la elaboración del informe no retrase la publicación de los textos.

Los evaluadores elaborarán un informe basado en la plantilla de revisión facilitada por la revista. A él añadirán las observaciones que consideren pertinentes para que el editor se haga una justa apreciación del manuscrito y el autor pueda rectificar y mejorar la calidad del mismo.

4. Indicadores de exogamia y endogamia

Uno de los factores que indirectamente refleja el prestigio de la revista en un campo de conocimiento procede de la tasa de endogamia y exogamia de los autores. Se entiende que el número de contribuciones procedente de la misma institución promotora de la revista debería ser notablemente inferior al de contribuciones procedentes de instituciones externas, pues la dispersión editorial está probada como uno de los factores determinantes en la evaluación del currículum de un investigador.

En este sentido, y de acuerdo con los criterios de la Comisión Nacional Evaluadora de la Actividad Investigadora (CNEAI), el grado de endogamia editorial vendrá fijado por la regla de que "más del 75% de los autores serán externos al comité editorial y virtualmente ajenos a la organización editorial de la revista" (MECD, 2017).

Una tasa de exogamia alta pone de manifiesto el interés de los autores por publicar el resultado de sus investigaciones en unas determinadas revistas de las que esperan obtener una evaluación científica constructiva y rigurosa, una respuesta adecuada en tiempo y forma, y una difusión conveniente para conseguir que su trabajo sea conocido y leído entre los miembros de su comunidad académica de referencia.

En el caso de *Doxa Comunicación*, la tasa de exogamia es del 85,6%, y la de endogamia, del 14,4% (figura 2). Es decir, prácticamente 9 de cada 10 autores que publican en la revista proceden de instituciones diferentes a la Universidad CEU San Pablo.

Figura 2. Procedencia de los autores

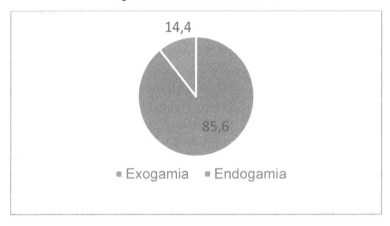

Fuente: Elaboración propia

En los 25 números publicados hasta noviembre de 2017, han contribuido un total de 314 autores. La mayoría de ellos, el 87,8% con un solo texto, y 12,1% (38 autores) con entre uno y cuatro artículos.

En la figura 3, se muestra la filiación de los autores de los artículos publicados en los 25 números de *Doxa Comunicación*. Las universidades que más artículos insertan en la revista son, en orden descendente: USPCEU (10,8%; 23 artículos); Universidad Complutense de Madrid (9%; 19 artículos); Universidad de Navarra (7,1%; 15 artículos); Universidad Rey Juan Carlos (4,7%; 10 artículos) y la Universidad de Valladolid (4,2%; 9 artículos).

Figura 3: Filiación del primer autor de los artículos

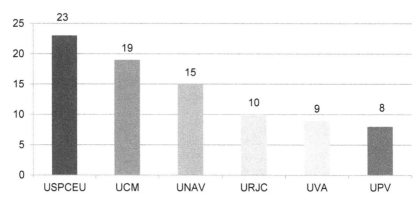

Fuente: Elaboración propia

En cuanto a las tesis doctorales de las que se da noticia, proceden de 23 universidades: 64 de la Universidad CEU San Pablo, 31 de la Universidad Complutense de Madrid, 10 de la Universidad CEU Cardenal Herrera, 6 de la Universidad de Vigo, UNAV y la Universidad Pontificia de Salamanca, 4 de las Universidades de Málaga y San Jorge. También se registran tesis doctorales defendidas en Comunicación en la Universidad de Murcia, la Universidad de Salamanca y la Universidad de Huelva. En la figura 4 se representan aquellas universidades de las que proceden más de cinco tesis doctorales.

Figura 4: Universidades con más de 5 tesis doctorales publicadas en

Doxa Comunicación

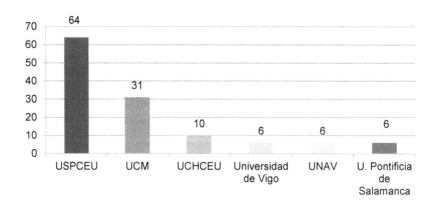

Fuente: Elaboración propia

5. Últimos indicadores de recepción, aceptación y desestimación de originales

La tasa de aceptación de manuscritos originales se sitúa en torno al 50% de media histórica. Los datos de los 4 últimos números de *Doxa Comunicación* (22, 23, 24 y 25) publicados en 2015 y 2016 así lo indican.

En 2015 se recibieron 22 propuestas de artículos y ensayos de investigación, de los que el 40,9% (9) no obtuvieron informe de evaluación favorable.

En 2016 se incrementó ligeramente esta tasa; de los 29 artículos y ensayos científicos recibidos, 15 (51,7%) obtuvieron informe desfavorable.

Figura 5. Indicadores de recepción, aceptación y desestimación

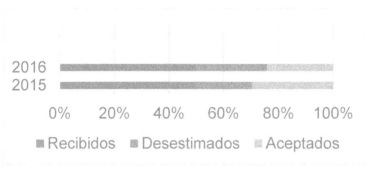

Fuente: Elaboración propia

6. Tasa de internacionalización de los autores.

Los artículos publicados en *Doxa Comunicación* tienen hasta cuatro autores. En las tablas siguientes, se muestra su procedencia geográfica. Destacan los textos procedentes de Universidades y centros de investigación españoles, pero es posible encontrar contribuciones de tres continentes: Europa, América, y Asia.

En el caso del primer autor, 212 textos (el 89,8%) son de procedencia española; 6, de Argentina; 3, de Estados Unidos; 3, de Perú, y 2 de Colombia, Chile y Méjico. Se muestran en detalle en la siguiente tabla y mapa.

Tabla 2: Países de procedencia de los autores primero y segundo de artículos y ensayos científicos, y notas de investigación en los 25 números de *Doxa Comunicación*

País primer autor	Número	%
España	212	89,8
Argentina	6	2,5
Estados Unidos	3	1,3
Perú	3	1,3
Colombia	2	0,8
Chile	2	0,8
Méjico	2	0,8
Italia	1	0,4
Venezuela	1	0,4
Bélgica	1	0,4

Fuente: elaboración propia

País segundo autor	Número	%
España	84	35,6
Polonia	1	0,4
Estados Unidos	1	0,4
Perú	1	0,4
Argentina	1	0,4
Alemania	1	0,4
Portugal	1	0,4

Figura 6. Distribución geográfica de los autores que han publicado en
Doxa Comunicación

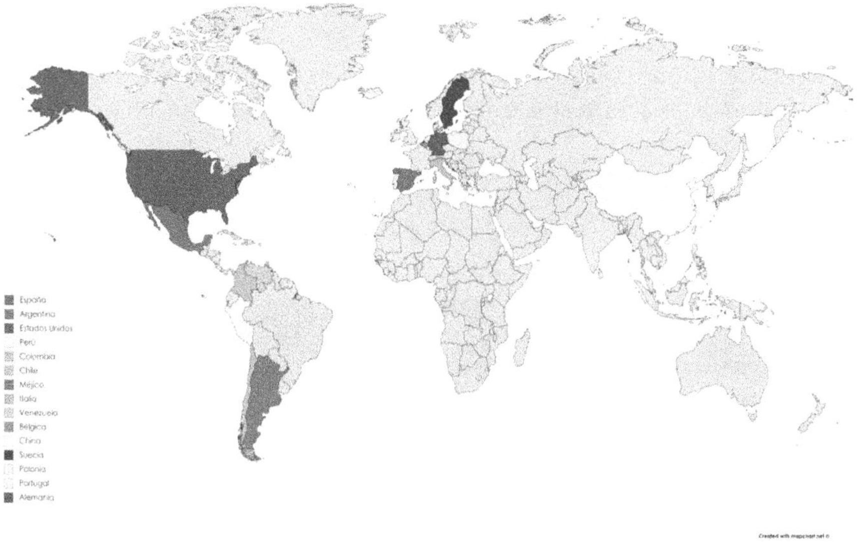

Leyenda:
- España
- Argentina
- Estados Unidos
- Perú
- Colombia
- Chile
- Méjico
- Italia
- Venezuela
- Bélgica
- China
- Suecia
- Polonia
- Portugal
- Alemania

Análisis de las variables exógenas de calidad de la revista.

En este apartado vamos a describir la presencia de *Doxa Comunicación* en bases de datos e índices nacionales e internacionales de calidad.

Desde el nacimiento de la revista, el equipo editor fue consciente de que la calidad de la publicación no podía basarse en una vana declaración de intenciones ni en el mero compromiso de cumplir un código de buenas prácticas. La calidad de una publicación solo tiene valor cuando es verificada por agentes externos acreditados y es reconocida por la comunidad científica del propio campo de conocimiento.

La verificación externa de la calidad de *Doxa Comunicación* se puede explicar estableciendo dos periodos temporales: antes de 2010 y después de 2010. El motivo de segregar los dos periodos se debe al cese de varios de los indicadores de calidad de las revistas científicas españolas que se produjo durante la primera década del siglo XXI, situación devenida, en muchos casos, por los recortes de la financiación de los proyectos de investigación que los sustentaban.

Desde 2003, fecha del nacimiento de *Doxa Comunicación*, hasta 2010, se produjeron algunos hitos reseñables, como la inclusión en el **Catálogo de Latindex** al cumplir con los 33 criterios de calidad exigidos por esta institución fundada en 1995. En este periodo también fue incluida en la base de datos del **ISOC-CSIC** a través del proyecto **DICE** (ya extinto), y su factor de impacto fue calculado por los proyectos entonces vivos **IN-RESC** (que en 2009 la situaba en 7.ª posición, 2.º cuartil, con un índice de impacto de 0,113) y **RESH** (que le asignaba un índice de impacto de 0,104 para el periodo 2005- 2009, con el cumplimiento de 16 criterios establecidos por ANECA y 14 por CNEAI). En esta época, *Doxa Comunicación* comenzó a ser indexada en **Dialnet**, a través de cuya plataforma es posible el acceso a toda la colección.

Figura 7. Índice de impacto de *Doxa Comunicación* calculado por IN-RESC (2009)

		ÍNDICE DE IMPACTO				
		COMUNICACIÓN				Buscar

		Revistas	Artículos	Autores	Instituciones

Impacto por años
`2009 2008 2007 2006 2005 2004 2003 2002 2001 2000 1999 1998 1997 1996`

Impacto acumulativo
Histórico `2000-2009` `2005-2009`

ÍNDICE DE IMPACTO: 2009
Población de revistas: 23

Ordenación por: índice impacto

CUARTIL	POSICIÓN	TÍTULO DE LA REVISTA	ÍNDICE IMPACTO 2009	TOTAL ARTÍCULOS	TOTAL CITAS	CITAS NACIONALES	CITAS INTERNACIONALES
1º	1	Revista Latina de Comunicación Social	1.380	84	116	116	0
	2	Comunicación y sociedad: Revista de la Facultad de Comunicación	0.428	35	15	15	0
	3	Zer. Revista de Estudios de Comunicación	0.357	95	34	34	0
	4	Estudios sobre el Mensaje Periodístico	0.252	95	24	23	1
	5	CIC. Cuadernos de Información y Comunicación	0.250	40	10	10	0
2º	6	Ámbitos. Revista Internacional de Comunicación	0.140	71	10	10	0
	7	Doxa Comunicación	0.113	44	5	5	0
	8	Sphera Pública: Revista de Ciencias Sociales y de la Comunicación	0.111	36	4	3	1
	9	Trípodos	0.109	91	10	10	0
	10	Comunicar. Revista de Medios de Comunicación y Educación	0.092	162	15	15	0
3º	11	Telos. Cuadernos de Comunicación e Innovación	0.086	220	19	19	0
	12	Coneixement i Societat: Revista d´Universitats, Recerca i Societat de la Informació	0.083	36	3	2	1
	13	Anàlisi: quaderns de comunicació i cultura	0.055	72	4	4	0
	14	Área Abierta	0.044	45	2	2	0
	15	Icono 14	0.040	50	2	2	0
	15	Comunicación y hombre: revista interdisciplinar de ciencias de la comunicación y humanidades	0.040	25	1	1	0
4º	17	Comunicación. Revista Internacional de Comunicación Audiovisual, Publicidad y Estudios Culturales	0.032	31	1	1	0
	18	Historia y Comunicación Social	0.027	37	1	1	0
	19	Archivos de la Filmoteca. Revista de Estudios Históricos sobre la Imagen	0.010	98	1	0	1
	20	Questiones Publicitarias. Revista Internacional de Comunicación y Publicidad	0.000	19	0	0	0
	20	I/C Revista científica de información y comunicación	0.000	39	0	0	0
	20	Etic@ net	0.000	18**	0	0	0
	20	Vivat Academia	0.000	219	0	0	0

A partir de 2010, las revistas científicas españolas que habían podido referenciar su calidad gracias a la labor de estos proyectos nacionales atraviesan un periodo de incertidumbre al producirse una desactualización de los indicadores mencionados.

Doxa Comunicación opta entonces por someterse a la IV Convocatoria de Evaluación de Revistas Científicas de **FECYT**, celebrada en 2014, que superó con éxito. FECYT había anunciado en mayo de 2007 la puesta en marcha del Proyecto ARCE de apoyo a profesionalización e internacionalización de las revistas científicas españolas, cuya primera convocatoria se celebró en octubre de 2007 (FECYT, 2007). Entre otras ventajas, la obtención del sello de calidad conllevaba la inclusión de la revista en el repositorio RECYT, lo que aumentaba su visibilidad y prestigio, además del uso de la herramienta OJS de gestión editorial. Aunque *Doxa Comunicación* no se presentó a las 3 primeras convocatorias de evaluación, la dirección de la revista sí comenzó a gestionar la revista de acuerdo con los criterios de calidad editorial propuestos en ARCE e incorporó en 2008 su modelo de ficha de evaluación externa de manuscritos. Para la revista supuso un importante espaldarazo obtener el sello de **Revista Excelente** para el periodo 2014-2017, al tratarse de un reconocimiento considerado por ANECA en sus evaluaciones del programa ACADEMIA y por CNEAI entre sus criterios de evaluación de la actividad investigadora.

En este periodo también cobran protagonismo otros sistemas de valoración de las revistas científicas, como CIRC y MIAR, que permiten a las cabeceras nacionales disponer de un marco de referencia relativo a otras revistas, y que resultan sumamente útiles al poder ser utilizados por los equipos directivos para diseñar el crecimiento y mejora de sus parámetros.

La Clasificación Integrada de Revistas Científicas (**CIRC**), elaborada por el grupo EC3Metrics de la Universidad de Granada, sitúa a *Doxa Comunicación* en una posición B, que agrupa a revistas de calidad, pero con un bajo índice de internacionalización. CIRC considera dos grupos por encima del B: el grupo A y el grupo Excelencia A+. Para poder ingresar en ambos es necesario, por un lado, incrementar la tasa de internacionalización de los autores y, por otro, que el impacto de las publicaciones sitúe a la revista entre los primeros cuartiles del JCR y de SCOPUS.

La Matriz de Información para el Análisis de Revistas (**MIAR**), elaborada por el grupo de investigación I-VIU de la Universidad de Barcelona, otorga a *Doxa Comunicación* en 2017 un Índice Compuesto de Difusión Secundaria (**ICDS**) de 9,6. Este indicador coloca a la revista en una posición interesante si se considera desde una perspectiva relativa a otras prestigiosas cabeceras de la misma área de conocimiento que obtienen un ICDS cercano, como *Comunicar* (10,9), *Comunicación y Sociedad*, (10,0), *Revista Latina de Comunicación Social* (9,8) o *Estudios sobre el Mensaje Periodístico* (7,9).

Figura 8. Ficha de *Doxa Comunicación* en MIAR 2017 con ICDS de 9,6

Fuente: MIAR (www.miar.ub.edu)

En cuanto a la presencia en bases de datos e índices internacionales, cabe señalar que *Doxa Comunicación* entró a formar parte de **Fuente Académica Plus** de **EBSCO**, el 12-01-2013, y en noviembre de 2016 fue incluida en **Emerging Sources Citation Index (ESCI)**. ESCI es una base de datos de Clarivate Analytics en la que figuran revistas de calidad que están siendo evaluadas para ingresar en la colección principal de la Web of Science. Más recientemente, el 10-08-2017, fue incluida en el **European Index for the Humanities and Social Science (ERIH PLUS)**.

Figura 9. Últimas bases de datos y directorios internacionales que han incluido *Doxa Comunicación*

En cuanto a la política de acceso a los contenidos, *Doxa Comunicación* apostó desde el principio por el acceso universal, abierto y gratuito a todos los contenidos de la colección, de acuerdo con la **Declaración de BOAI** (*Budapest Open Access Initiative*). La base de datos **Dulcinea** la clasifica en el grupo Azul. También ha sido incluida en el **Directory of Open Access Journals (DOAJ)** el 11-10-2017, siempre guiados por el principio de favorecer la máxima difusión de los contenidos y el mayor impacto de los trabajos publicados.

En línea con el objetivo de garantizar el acceso digital a la revista, la colección completa de *Doxa Comunicación* está alojada en el **Repositorio Institucional** de la Fundación Universitaria San Pablo CEU, basado en la tecnología DSpace (www.dspace.ceu.es). Asimismo, es posible acceder al archivo histórico de la revista desde el **Repositorio Español de Ciencia y Tecnología (RECYT)** (https://recyt.fecyt.es/index.php/doxacom).

Últimas mejoras implementadas

Siempre hay margen de mejora. Una revista sin ánimo de lucro, cuya vocación es prestar un servicio de calidad a la comunidad científica, tendrá ante sí el reto permanente de incrementar la difusión y el impacto de las investigaciones publicadas por sus autores.

En el caso de *Doxa Comunicación*, este objetivo se está afrontando sobre dos ejes de actuación interconectados: la **internacionalización** y la **publicación bilingüe** español/inglés de los artículos y ensayos científicos.

Ambos parámetros (edición bilingüe e internacionalización) están relacionados entre sí, y apuntan al objetivo general de posicionar a la revista en un escenario científico global, pues la investigación que se realiza en distintas partes del mundo está, necesariamente, interconectada. Es un hecho que la edición monolingüe, aun tratándose de un idioma tan poderoso como el español, produce una doble limitación: por un lado, restringe al mundo hispanohablante la proyección de las investigaciones publicadas y de sus autores; por otro, disuade a autores internacionales, especialmente del mundo angloparlante, de publicar sus trabajos en *Doxa Comunicación*.

En 2016, la revista reunió a un grupo de traductores profesionales nativos que se encargan de consolidar el inglés de los títulos, resúmenes y palabras clave, y de traducir los artículos y ensayos científicos bajo demanda de los autores.

Con esta estrategia se esperan obtener los siguientes resultados:

1. Ampliar la difusión internacional de las investigaciones publicadas en la revista.

2. Dar a conocer a sus autores en ámbitos científicos internacionales.

3. Atraer el interés de autores extranjeros que deseen publicar en una revista de calidad con amplia difusión en el mundo hispanohablante.

4. Potenciar la publicación de investigaciones que aborden problemas globales o desde una perspectiva global, en detrimento de los enfoques excesivamente locales.

5. Auspiciar una evaluación favorable por parte de las bases de datos e índices de calidad internacionales, como JCR o SCOPUS, de los que *Doxa Comunicación* aspira a formar parte.

Otro capítulo relacionado con las mejoras incorporadas es el relativo a la **gestión de los originales** y la **relación con los autores y revisores externos**.

Los responsables de las revistas científicas afrontamos la responsabilidad de dispensar a los autores el respeto que todos merecen y tratar los manuscritos con el máximo rigor y profesionalidad. En *Doxa Comunicación* trabajamos denodadamente por acortar los plazos de respuesta a los autores. Se trata de una cuestión demandada por ellos y, en ocasiones, impuesta por la obsolescencia de las propias investigaciones.

La gestión del proceso editorial que va desde que un autor envía un artículo hasta que se publica o no representa el grueso de la actividad de una revista científica, por lo que resulta necesario implementar "un sistema de gestión editorial que ayude a controlar, agilizar y hacer más eficiente el ciclo" (Jiménez-Hidalgo, Giménez-Toledo y Salvador-Bruna, 2008).

Para mejorar la experiencia del usuario y agilizar la relación con los revisores externos, la revista optó por incorporar un sistema de gestión editorial basado en la plataforma OJS. Esta herramienta ha permitido a los *autores* conocer puntualmente la fase editorial en que se encuentra su manuscrito; a los *editores*, garantizar la trazabilidad de todos los procesos y mejorar la selección de revisores externos especializados; a los *revisores*, disponer de una interfaz más sencilla y automatizada para la evaluación de los manuscritos.

En relación con el proceso de evaluación de originales, *Doxa Comunicación* está ampliando permanentemente el número de revisores externos con un doble objetivo: por un lado, mejorar la asignación de manuscritos a revisores especializados en las respectivas áreas temáticas; esto permitirá un proceso de evaluación más riguroso y enriquecedor para los autores, y por extensión, una mayor calidad de los trabajos finalmente publicados; por otro lado, un plantel amplio y variado de revisores externos evita la saturación de solicitudes, condición básica para que los informes estén bien argumentados y puedan ser atendidos en tiempo y forma.

Proyecto de futuro

El equipo editorial de *Doxa Comunicación* afrontará en próximas fechas nuevas acciones de mejora que se pueden agrupar en tres apartados: difusión, impacto e internacionalización.

Difusión

La revista va a renovar en 2018 la **página web**, que es su principal canal de comunicación externa. Se busca un diseño más funcional, intuitivo y moderno, basado en tecnologías que simplifiquen el proceso de actualización de contenidos y permita a los editores reducir la actual dependencia de gestores informáticos. Además de las funcionalidades actuales, como el acceso a todo el archivo de la revista o la descarga de las normas de publicación e instrucción para autores y revisores, el nuevo sitio web deberá permitir el acceso y plena funcionalidad desde dispositivos móviles.

En línea con esta renovación, se potenciará la presencia de *Doxa Comunicación* en **redes sociales**. Actualmente, solo se dispone de un canal de Twitter, por lo que se pretende diseñar una estrategia de desarrollo en otras redes que permita consolidar y ampliar la comunidad @DoxaCom.

Igualmente, se va a mejorar el protocolo de difusión de cada nuevo número publicado. La plataforma de gestión editorial OJS ofrece instrumentos de visibilidad y distribución que todavía no se están aprovechando en toda su potencialidad.

Impacto

Como se indicó anteriormente, los directores de revistas españolas de Comunicación consideraron que la principal función de las revistas es ayudar a la acreditación del profesorado universitario. Para la consecución de este fin, los editores no podemos sustraernos a la realidad de que las agencias de evaluación (ANECA y autonómicas, CNEAI, Subdivisión de Coordinación y Evaluación de la Agencia Estatal de Investigación) utilizan el **factor de impacto** de las revistas como principal indicador de la calidad de una publicación. Afortunadamente no es el único criterio tenido en cuenta, pero sí el más relevante.

Este hecho presenta dificultades y sesgos que han sido estudiados por especialistas y que deberían llevar a las autoridades públicas a reglamentar con precaución y no considerar que la calidad de una publicación está exclusivamente referida a su índice de impacto (que, como es sabido, se calcula a partir de las citas recibidas por los artículos publicados en una revista en un periodo de tiempo). Factores como la región geográfica, la lengua, la obsolescencia de la investigación en función del área de conocimiento, el acervo de la disciplina, la madurez de la comunidad científica de referencia, etc., son circunstancias que condicionan el mencionado factor de impacto.

Sin embargo, estos sesgos característicos de la divulgación científica en determinadas disciplinas (como las Humanidades y las Ciencias Sociales) y en ciertas regiones geográficas (como España) se ven agravados por la inexistencia de un organismo público que proporcione a las agencias de evaluación estatales un índice de impacto para las revistas españolas de todos los campos científicos. Este instrumento solucionaría la extraña situación de que las autoridades públicas españolas estén evaluando las carreras de sus profesores e investigadores con parámetros calculados por empresas privadas extranjeras.

Dicho esto, consideramos que un discurso crítico sería de todo punto estéril si se limitara a denunciar esta circunstancia sin trabajar por salvarla. *Doxa Comunicación* percibe este momento como una oportunidad. El prestigio y el acervo de 15 años de labor editorial ininterrumpida puede ser aprovechado por la revista para continuar creciendo por medio de medidas que potencien la visibilidad de la cabecera, atraigan el interés de investigadores nacionales e internacionales y aumenten el impacto de los trabajos publicados. Es decir, mientras las autoridades públicas no reconfiguren el *terreno de juego*, nuestra revista asumirá las reglas y tratará de actuar del modo más beneficioso para los autores que le confían sus manuscritos.

En este sentido, entendemos que la actitud más responsable consiste en adoptar los mecanismos necesarios para *Doxa Comunicación* incremente su impacto y su visibilidad, en sintonía con lo expresado en la reciente *Guía metodológica para la creación de una clasificación de revistas en Ciencias Humanas y Sociales, destinada a las agencias de evaluación del mérito docente e investigador*, editada y coordinada por FECYT. Sus autores aluden a la necesidad de que las agencias de evaluación y acreditación dispongan de una clasificación objetiva que les permita graduar la calidad de los méritos del investigador en función de la revista donde hayan publicado: "El propósito de la metodología es permitir una categorización más específica de las revistas que amplíe el alcance de este reconocimiento [sello de calidad de FECYT]" (Sanz-Casado, De Filippo y Aleixandre-Benavent, 2017: 5).

La nueva metodología propuesta por FECYT se basa en dos factores clave de una revista, como son el **impacto** y la **visibilidad**. El factor de impacto supondrá un 70% de la calificación global obtenida por la revista, y la visibilidad, el 30%. Ambos serán calculados en función de algoritmos que consideran la posición y presencia de la revista en los siguientes índices de calidad y bases de datos internacionales: JCR, WoS, Índice h en WoS, ESCI, SCOPUS, SJCR, SciELO, Índice H en SJCR, ERIH PLUS, Índice h5 en GSM, MIAR-ICDS, Catálogo Latindex (Sanz-Casado, De Filippo y Aleixandre-Benavent, 2017: 32-33).

Un reto perentorio para *Doxa Comunicación* consiste en aumentar el número de artículos publicados cada año. El objetivo es mantener una tasa anual superior a 20, de modo que se alcancen los 100 artículos publicados en 5 años y cumplir con este criterio establecido por **Google Scholar Metrics** (GSM) para indexar la revista. La metodología empleada por GSM cuando lanzó este producto en 2012 dejó fuera a un número importante de revistas (Cabezas-Clavijo y Delgado López-Cózar, 2012), de modo que la nueva herramienta no llegaba a cubrir ni la mitad de las revistas de Comunicación circulantes en el mundo (Delgado López-Cózar y Repiso Caballero, 2013). En un trabajo posterior también efectuado en el seno del grupo EC3Metrics que corregía algunas de las deficiencias detectadas, *Doxa Comunicación* recibió, para el periodo 2008-2012, un índice H = 5 (Ayllón, Ruiz Pérez y Delgado López-Cózar, 2014). En cualquier caso, publicar al menos 100 artículos en 5 años se presenta como un objetivo inaplazable y a la vez palusible para nuestra revista.

Igualmente, la aspiración de la revista de ser incluida en las diferentes bases de datos de la Web of Science y en SCOPUS pasan por favorecer la llegada de investigaciones originales que aborden problemas universales o tratados desde una perspectiva global. Estas bases de datos son internacionales y obviamente favorecen a las revistas que publican investigaciones interesantes para comunidades extensas y variadas. Las contribuciones centradas en aspectos excesivamente locales pueden afectar negativamente al impacto de la revista al constreñir el número de lectores interesados en esos resultados.

Internacionalización

Este objetivo está estrechamente ligado con el anterior y se puede entender de dos maneras correlativas: por un lado, la atracción de autores extranjeros afiliados a centros prestigiosos de investigación; por otro, la difusión de los contenidos publicados en nuevos ámbitos científicos.

Respecto a la atracción de autores extranjeros, hay que asumir que solo un factor de impacto elevado hará que investigadores de otros países decidan publicar en una revista española. Un elemento que juega a favor de nuestra cabecera es la comunidad científica hispanohablante (incluyendo Latinoamérica y Estados Unidos), entre quienes *Doxa Comunicación* podría tener eventualmente más éxito, así como entre autores europeos gracias a los contactos derivados de programas de intercambio y movilidad del profesorado, y las investigaciones desarrolladas en grupos de investigación interuniversitarios que trabajan en red en alguno de los programas de la Unión Europa.

Respecto a la difusión de los contenidos en nuevos ámbitos científicos, la edición bilingüe español/inglés contribuirá a este objetivo y nos permitirá optar a la inclusión de la revista en ciertas bases de datos de prestigio que valoran especialmente la publicación en inglés.

Por último, si bien alojar todos los contenidos de *Doxa Comunicación* en el Repositorio Institucional de la Fundación Universitaria CEU San Pablo, en el Repositorio Español para la Ciencia y la Tecnología (RECYT), y en el Directory of Open Access Journals (DOAJ), entre otros, han sido avances que garantizan la difusión y la localización digital permanente de toda la colección, se va a potenciar esta representación con la asignación del Digital Object Identifier (DOI) y la inclusión en nuevos repositorios internacionales como Redalyc.

Conclusiones

La madurez y los logros conseguidos hasta ahora sitúan a la revista *Doxa Comunicación* en un momento de su biografía propicio para afrontar un futuro más ambicioso desde el punto de vista del impacto y la visibilidad internacionales.

Durante la **primera época**, que va desde su nacimiento en 2003 hasta 2010, la revista fue creciendo y configurándose con la incorporación progresiva de los estándares de calidad editorial de este tipo de publicación científica.

En 2005, ingresó en el Catálogo Latindex con el cumplimiento de los 33 criterios establecidos por esta institución.

Comenzó a estar representada en las bases de datos de ISOC-CSIC y ponderada a través del proyecto DICE-CINDOC.

En noviembre de 2008 dejó la periodicidad anual y comenzó a publicarse semestralmente. Por entonces, la revista ya cumplía con los 16 criterios de ANECA y los 14 de CNEAI en sus respectivos procesos de evaluación y acreditación.

En 2009, IN-RESC le asignaba un índice de impacto de 0,113, que la colocaba en 7.ª posición, 2.º cuartil, de las revistas españolas de Ciencias Sociales editadas en aquel entonces.

En la misma época, RESH le asignaba un índice de impacto de 0,104 para el periodo 2005-2009, y estaba incluida en el catálogo de Dialnet.

A partir de 2010, comienza una **segunda época** en la trayectoria de *Doxa Comunicación*. Las restricciones presupuestarias para el I+D+i devenidas de la crisis económica privaron a las revistas españolas de algunos referentes bibliométricos que venían proporcionando proyectos como DICE, IN-RESC y RESH.

Doxa Comunicación opta, entonces, por someterse a la evaluación de calidad de revistas científicas del proyecto ARCE auspiciado por FECYT, y obtiene el Sello de Calidad en octubre de 2014.

En 2013 había entrado en la base de datos internacional Fuente Académica Plus, de EBSCO.

CIRC comienza a clasificarla en la categoría B, que agrupa a revistas de calidad, pero con baja presencia internacional.

Efectivamente, en estos años que van de 2010 a 2015, la revista obtiene en MIAR un ICDS de entre el 3,4 y el 3,5, claro indicador de la necesidad de aumentar la visibilidad internacional de la revista, reto que asume el equipo directivo.

En octubre de 2016, la revista es incluida en ESCI (WoS -Clarivate Analytics); en agosto de 2017, en ERIH PLUS; y en octubre de 2017, en DOAJ.

El ICDS de 2016 fue de 7,6, y el de 2017, de 9,6.

En 2016 también se implementaron dos nuevas mejoras: la gestión editorial a través de la plataforma OJS de RECYT y la edición bilingüe español/inglés de todos los artículos y ensayos científicos.

A partir de aquí, y siguiendo con el relato cronológico, se podría decir que *Doxa Comunicación* se enfrenta a una **tercera época** que debe estar orientada por el objetivo de ingresar en las bases de datos internacionales más prestigiosas que le reporten un factor de impacto relevante.

Va a ser una época marcada por la internacionalización de los autores y de los contenidos, y por el aumento de la visibilidad y del impacto de las investigaciones publicadas en la revista.

Se pretende mejorar la difusión, la gestión editorial y la fidelización de la comunidad científica formada por editores, autores, revisores y lectores.

Se deberá elevar la media de 14 artículos al año hasta alcanzar los 20 como mínimo, con el objetivo de que en 5 años se hayan publicado no menos de 100 artículos y la revista comience a ser indexada por Google Scholar Metrics. El reto de conseguirlo sin rebajar la exigencia de la evaluación ciega de originales (la tasa media de aceptación está en torno al 50%) pasa por incrementar la tasa de recepción, cuya media anual ronda los 25 artículos.

Además, la revista debe preponderar la publicación de artículos procedentes de proyectos de investigación, cuyos resultados aporten conocimiento nuevo y original que permita avanzar en nuestros campos de estudio. Se pedirá a los autores que eviten los temas excesivamente locales y que propongan artículos que aborden problemas de interés universal o basados en aproximaciones que favorezcan la interacción con grupos de investigación internacionales.

Estas mejoras se espera que propicien, en un periodo de tiempo razonable, la revista escale posiciones entre sus pares nacionales y amplíe su presencia internacional, lo que repercutirá en el reconocimiento de los autores que en ella publican.

No se avanza a ciegas hacia *terra incógnita*. Las reglas de juego son conocidas, el camino está descrito, y prestigiosas revistas españolas lo han recorrido con éxito. En *Doxa Comunicación,* tenemos la ilusión para intentarlo y el convencimiento de que es posible conseguirlo.

Referencias bibliográficas

Ayllón, J. M.; Ruiz Pérez, R. y Delgado López-Cózar, E. (2014). Índice H de las revistas científicas españolas según Google Scholar Metrics (2008-2012). *EC3 Reports*, 7. Granada. DOI https://doi.org/10.13140/RG.2.1.3487.6243

Baladrón-Pazos, A. J. y Correyero-Ruiz, B. (2012). Futuro de las revistas científicas de comunicación en España. *El profesional de la información*, v. 21, n. 1, 34-42.

Cabezas-Clavijo, A.; Delgado-López-Cózar, E. (2012). Las revistas españolas de Ciencias Sociales y Jurídicas en Google Scholar Metrics, ¿están todas las que son? *EC3 Working Papers*, 2. Recuperado de http://ec3noticias.blogspot.com.es/2012/04/las-revistas-espanolas-de- ciencias.html

Delgado López-Cózar, E. y Repiso Caballero, R. (2013). El impacto de las revistas de comunicación: comparando Google Scholar Metrics, Web of Sciencie y Scopus. *Comunicar*, n. 41, v. XXI, 45-52. https://doi.org/10.3916/C41-2013-04

Doxa Comunicación (2003): Presentación. *Doxa Comunicación*, n. 1. Recuperado de http://www.doxacomunicacion.es/es/sobre_doxa/

Fundación Española para la Ciencia y la Tecnología (FECYT) (2007): *Proyecto ARCE de apoyo a la profesionalización e internacionalización de las revistas científicas españolas*. Recuperado de https://calidadrevistas.fecyt.es

Jiménez-Hidalgo, S.; Giménez-Toledo, E. y Salvador-Bruna, J. (2008). Los sistemas de gestión editorial como medio de mejora de la calidad y la visibilidad de las revistas científicas. *El profesional de la información*, mayo-junio 2008, v. 17, n. 3, 281-291. DOI: https://10.3145/epi.2008.may.04

Ministros Europeos de Educación Superior (1999). *Declaración de Bolonia*. Recuperado de http://tecnologiaedu.us.es/mec2011/htm/mas/2/21/6.pdf

Ministerio de Educación, Cultura y Deporte (2003). *La integración del sistema universitario español en el Espacio Europeo de Educación Superior*. Recuperado de http://tecnologiaedu.us.es/mec2011/htm/mas/2/21/7.pdf

(2017). Resolución de 23 de noviembre de 2017, de la Comisión Nacional Evaluadora de la Actividad Investigadora, por la que se publican los criterios específicos aprobados para cada uno de los campos de evaluación. *Boletín Oficial del Estado*, 1-12-2017. Recuperado de http://www.boe.es/boe/dias/2017/12/01/pdfs/BOE-A-2017-14085.pdf

Sanz-Casado, E.; De Filippo, D. y Aleixandre-Benavent, R. (2017). *Guía metodológica para la creación de una clasificación de revistas en ciencias humanas y sociales, destinada a las agencias de evaluación del mérito docente e investigador*. Fundación Española para la Ciencia y la Tecnología. Recuperado de *https://calidadrevistas.fecyt.es/sites/default/files/informes/guia_ccss_hum_def.pdf*

CAPÍTULO VII

REVISTAS MULTIDISCIPLINARES EN CIENCIAS: RAZONES DE ÉXITO

Dr. Sebastián Rubio García
Universidad de Córdoba, España
Dr. Manuel Mora Márquez
Universidad de Córdoba, España

Resumen

Los problemas complejos, tanto sociales como naturales, se resuelven más eficazmente a través del trabajo combinado de equipos de personas que investigan soluciones multidisciplinares. La colaboración entre especialistas de ramas de conocimiento concretas da lugar a resultados mucho más ricos que si solo se aborda desde un prisma particular.

Esta realidad se traduce en la necesidad de crear categorías de revistas que permitan publicar sus investigaciones a los equipos de trabajo multidisciplinares, y en los últimos años estamos asistiendo a un florecimiento espectacular de dichas categorías de revistas en los principales indicadores de calidad, que tanto preocupan en nuestro país.

En este trabajo se reflexiona sobre los pros y contras de este tipo de revistas, y se analizan las razones de su creciente interés entre la comunidad científica.

Áreas meramente multidisciplinares, como pueden ser las Didácticas de las Ciencias Sociales y Experimentales, pueden encontrar en estas revistas una vía de merecido reconocimiento al esfuerzo investigador que realizan en sus centros de trabajo. Por ello parece especialmente prometedora la llamada *categoría multidisciplinar*.

Palabras clave

Muultidisciplinar, interdisciplinar, pluridisciplinar, revistas, impacto, calidad

Introducción

Desde que la Humanidad se plantea preguntas sobre sí misma y acerca de su entorno, hay personas que trabajan activamente por buscar respuestas a dichas preguntas. Esas personas son investigadoras e investigadores de todas las ramas científicas y humanas, con más o menos éxito en la explicación de los fenómenos, con más o menos fama en sus descubrimientos, con más o menos repercusión, pero el conocimiento avanza gracias a estos congéneres. Precisamente, es la trascendencia y repercusión de los resultados científicos, lo que da sentido original al trabajo que aquí se presenta, pues desde la antigüedad se plantea la idea de que la ciencia avanza si los resultados son difundidos entre la comunidad científica y la sociedad en general.

El método de publicación de resultados ha ido evolucionando a lo largo de la Historia de forma paralela al desarrollo de los medios de comunicación. Cuando la difusión de noticias se realizaba de boca en boca, por trovadores y bardos, la información llegaba de forma distinta a cuando se implantaron los medios de comunicación escritos. Durante años también fueron de especial importancia las cartas personales entre personas estudiosas de temas similares. Los debates dialécticos llevados a cabo por estos y otros medios, constituyeron una gran herramienta de avance de la ciencia en épocas pasadas. Memorable en este sentido es la difusión mediática de "la guerra de las corrientes" por el control del incipiente mercado de la generación y distribución eléctrica, en la década de 1880, protagonizada por Thomas Edison y Nikola Tesla. Durante esta competencia se lanzaron panfletos, noticias impresas, charlas y demás montajes con la intención de inclinar la opinión de la sociedad en favor de una u otra forma de transmisión de la corriente eléctrica.

Ya en el siglo XX, cuando los medios de comunicación sufren su explosión, gracias a internet y la conectividad global, las distancias se acortan, se reducen las barreras lingüísticas, caen las fronteras y todo el conocimiento puede difundirse "libremente" de forma global. En lo que va de siglo XXI las redes sociales han cobrado especial protagonismo para difundir el conocimiento científico entre iguales y a todos los niveles. Por tanto, hoy día podemos decir que "todo el mundo sabe lo que hace el resto de la comunidad", aunque sabemos que no es cierto en sentido estricto, pero la tendencia es a publicar resultados científicos incluso antes de que hayan sido contrastados totalmente, por miedo a ser copiados o *spoileados* por algún colega.

Pero ¿cómo es la ciencia que se lleva a cabo en el mundo? Durante mucho tiempo se ha intentado compartimentar el conocimiento en ramas y disciplinas muy concretas, pero en el origen no existía tanta división. Valga para defender esta idea hacerse una pregunta: ¿en qué rama de la ciencia podemos encuadrar a los descubridores del fuego o las inventoras de la rueda? Habría que decir que trabajaron conceptos de Física, Ingeniería, Química,

Sociología, Humanismo, etc. Es difícil encuadrarles en ninguna disciplina concreta. Platón, Aristóteles, Euclides, los filósofos griegos también eran alquimistas, físicos, ingenieros, psicólogos, historiadores, economistas y tantas cosas más.

En la antigüedad las personas que buscaban respuestas intentaban saber de todo lo necesario para realizar sus avances, sin distinguir estudios concretos. Es a partir del siglo XVIII cuando en el mundo occidental se empieza a compartimentar el conocimiento, llegando a un nivel de especialización que ha dado muchos y buenos frutos, pero que ha pecado de "olvidarse del conjunto". En el campo de la medicina es más fácil de visualizar, por la alta especialización de los distintos profesionales, tanto que puede llegar al absurdo. La óptica, la cardiología, la urología o la infectología son algunas de las especialidades que pueden resultar peligrosamente inconexas si existe una enfermedad que afecte a alguno de los órganos estudiados en cada caso.

Bien es verdad que también existen otras ramas más integradoras, como la medicina interna, la endocrinología, la geriatría, la psicología, que salvan la mayoría de los problemas médicos complejos.

Por tanto, como ya se ha comentado, la alta especialización ha sido y sigue siendo útil para resolver problemas muy concretos y realizar avances específicos en las distintas ramas de conocimiento, pero en los últimos años se está volviendo otra vez a generar líneas de trabajo que integren más de una disciplina. Se ha llegado a la conclusión de que para resolver problemas complejos deben tomarse perspectivas complejas e integradoras, en las que trabajen especialistas de distintas materias. Así se escuchan cada vez más disciplinas como la biomedicina, la química-física, la agroecología, el ecofeminismo, la bioingeniería, la nanobiotecnología, y tantas otras. Disciplinas que están llegando al punto de convertirse en estudios concretos, de máster o grado, y seguro veremos en el futuro titulaciones de especialidades que integren dos o más áreas de conocimiento tradicionalmente distintas.

Estas líneas de trabajo son las conocidas como multi-, inter- o pluri- disciplinares, con las sutiles diferencias de cada uno de estos tres términos. Equipos de trabajo que abordan problemas globales, necesitan respuestas globales, por ello las líneas o equipos multidisciplinares integran personas especialistas en diferentes ramas puras de conocimiento: Biología, Geología, Medicina, Ingeniería, Psicología, Física, . . . que se comunican constantemente y trabajan de forma conjunta, aportando cada uno en su faceta, los conocimientos concretos para llegar a la mejor solución de los problemas planteados. Así, los equipos multidisciplinares están teniendo cada vez más éxito y obteniendo mayores logros que los grupos especializados, por lo que la comunidad científica está tendiendo a organizarse de ese modo en los últimos años, volviendo quizá a los orígenes antes comentados, en que las personas investigadoras de ciencia sabían de todo lo necesario para encontrar las ansiadas respuestas.

Uniendo los dos enfoques científicos comentados en esta introducción: difusión de resultados y equipos multidisciplinares; llegamos al motivo principal de estas líneas: las revistas científicas multidisciplinares y sus razones de éxito. Las revistas científicas indexadas en catálogos internacionales han cobrado gran repercusión desde que, en nuestro país, constituyen el principal indicador de éxito de un grupo de investigación, y condición *sine qua non* para la progresión de la vida académica y la credibilidad de la comunidad científica. Índices como el Journal Citations Report (JCR) se han convertido en obsesión por parte de los equipos de investigación, pues publicar en revistas indexadas puede significar la diferencia entre seguir disponiendo de financiación o verse obligados a dejar de investigar.

Revistas donde publicar los resultados científicos hay muchas y muy diversas. Tradicionalmente son formatos monotemáticos o muy especializados, que constituyen un foro de referencia cuando se trata de hablar de esas líneas de investigación concretas, pero cada vez se abre más el contenido aceptado en algunas revistas, manteniendo siempre un nexo común, por lo que una publicación concreta puede encontrarse indexada en categorías muy distintas.

Las categorías dentro de los índices de publicaciones permiten concretar más los artículos en temáticas o grandes ramas de conocimiento, de modo que encontraremos más rápidamente trabajos que nos pueden ser de utilidad si somos capaces de concretar la categoría o categorías en que puede encuadrarse nuestro estudio. Pero existe una categoría que es la que nos mueve a escribir el presente trabajo, la categoría *multidisciplinar*.

Desde algunos foros se defiende que algo multidisciplinar es algo que no dice nada o no sabe de nada, pero la evidencia ha tumbado ya los argumentos de los detractores de incluir esta categoría. Revistas importantísimas como *Nature* ó *Science* encabezan la lista de publicaciones indexadas de ese modo en JCR, por lo que no puede descartarse su relevancia.

A modo de resumen de esta introducción, el sistema de trabajo de los equipos científicos más importantes del planeta tiende a la multidisciplinariedad, y es el motivo principal de generar una categoría específicamente tan genérica en los índices de impacto mundiales, que está cobrando cada vez más relevancia y por eso se analizarán sus ventajas, sus inconvenientes y sus cifras en los siguientes apartados. También se esbozará la repercusión que tiene este tipo de revistas en áreas de conocimiento meramente multidisciplinares como son las Didácticas de las Ciencias Sociales y Experimentales, o en general todas las Didácticas Específicas en Educación.

Objetivos Generales

Los principales objetivos de este trabajo se pueden concretar en tres:

- Analizar la evolución de algunas revistas multidisciplinares indexadas, en términos de número de citas, índice de impacto, entre otros indicadores relevantes.

- Reflexionar sobre las ventajas e inconvenientes de publicar en revistas categorizadas como multidisciplinares.

- Desvelar algunas de las principales razones del creciente éxito de revistas de este tipo.

En cualquier caso, estos tres objetivos se abordarán de forma paralela, tomando como objetivo específico el manejo de las estadísticas suministradas por los índices de referencia.

Método

El método de trabajo seguido consiste básicamente en buscar las revistas indexadas en la categoría *multidisciplinar*, extrayendo tanta información como sea necesaria para extraer conclusiones fiables. El motor de búsqueda usado, por su versatilidad con respecto al uso de filtros bibliográficos y flexibilidad a la hora de cotejar información, ha sido el que viene incorporado con la base de datos Scopus, que engloba referencias bibliográficas de ámbito internacional y pertenece a la empresa Elsevier. Esta base de datos cuenta con unas 20000 revistas de más de 5000 editores internacionales y cubre en sus publicaciones 40 idiomas, además de multitud de temáticas. El motivo de elegir este motor de búsqueda es para ofrecer datos que avalen la calidad de las publicaciones (expresada esta calidad en el índice de referencia JCR), pues incluye las revistas más destacadas en sus categorías, y comparar datos de forma cruzada, rápida y eficaz. Asimismo, en comparación con otras bases de datos bibliográficas usadas con mayor profusión, como son la WOS (Web of Science) o Google Scholar Metrics, permite una discriminación mayor al usar filtros más potentes, lo que facilita una evaluación bibliométrica más exhaustiva (Delgado y Repiso, 2013).

En el análisis se tuvieron en cuenta las publicaciones de los últimos años y su evolución a lo largo del tiempo, en cuyas búsquedas se fijó el rango 1975-2017. Resultados cruzados con información obtenida de otras bases de datos como el Journal Citations Reports fueron útiles en el tratamiento de la información.

Asimismo, se revisó en profundidad la bibliografía académica y la contenida en la web que habla sobre las ventajas e inconvenientes del trabajo multidisciplinar y de las publicaciones indexadas en dicha categoría.

Resultados y discusión

La profesora Jill Trewhella, de la Universidad de Sidney, escribió ya en 2009 sobre las ventajas del trabajo cooperativo y multidisciplinar en los entornos científicos. Afirmaba que la naturaleza y la sociedad son complejas y que no podemos abordar con curiosidad los problemas desde un solo prisma sino desde múltiples perspectives, de forma que la solución surja de forma combinada.

Ante problemas complejos, debemos buscar soluciones complejas. Descubrimientos individuales tienen repercusión sobre el resto de ramas de conocimiento, como ejemplo el descubrimiento de los rayos X desde un punto de vista físico no puede excluir el uso que tiene en medicina, para el cual se hará necesario crear una línea de trabajo específica que optimice el desarrollo de dispositivos adecuados para su uso médico.

Equipos interdisciplinares surgen en todo el mundo y aprenden a trabajar de forma conjunta para encontrar soluciones globales como el cambio climático o la contaminación de los mares y océanos. Para grupos de este nuevo modelo y trabajos tan interdisciplinares es para los que se creó la categoría de *revistas multidisciplinares*, donde enmarcar todo lo *no puro* ó *raro*. Raro como las investigaciones llevadas a cabo desde áreas tales como las didácticas específicas en Educación, como ejemplo el área de Didáctica de las Ciencias Experimentales, que se encarga de enseñar a maestros y maestras en formación métodos eficaces para explicar los conceptos de Ciencia adaptados al nivel educativo que tengan entre manos. Las investigaciones llevadas a cabo en el seno de este área son diversas y pueden ser encuadradas en revistas de Educación, Química, Física, Biología, Geología, Informática, Nuevas Tecnologías, Comunicación o, más bien, en ninguna concreta. El profesorado de Didáctica de las Ciencias Experimentales se encuentra muchas veces con el problema de no encontrar una revista adecuada donde poder publicar sus trabajos y que se vea adecuadamente reconocido su trabajo curricularmente. Aquí radica una de las principales bondades de las revistas de carácter multidisciplinar, y la ventaja de que estén en alza últimamente.

Si utilizamos como indicador el número de documentos publicados por año en las cinco revistas multidisciplinares con mayor impacto, vemos que la evolución es más que clara, y la tendencia no necesita comentarios (figura 1).

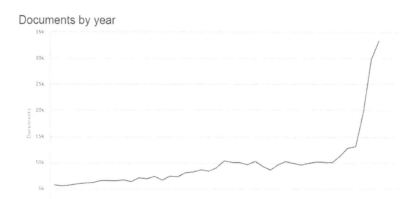

Figura 1: Evolucion del número de documentos publicados en las cinco revistas multidisciplinares más destacadas desde 1975 a 2017.

El crecimiento exponencial experimentado en los últimos cinco años tiene como explicación todo lo ya comentado hasta ahora en este trabajo, pero además constituye una esperanza para esas áreas eminentemente multidisciplinares, que encuentran un lugar fiable y serio donde enviar sus investigaciones para que sean valoradas por el resto de la comunidad científica. Desde 2011 hasta 2017 se ha triplicado el número de documentos publicados en este tipo de revistas.

Las cinco revistas categorizadas como multidisciplinares y que cuentan con mayor número de publicaciones y más alto índice de impacto son:

- Nature (ISSN 0028-0836)

- Science (ISSN 0036-8075)

- Proceedings of the National Academy of Sciences of the United States of America (ISSN 0027-8424)

- Scientific Reports (ISSN 2045-2322)

- New Scientist (ISSN 0262-4079)

Para comparar y valorar objetivamente estas publicaciones, es un buen indicador el SJR (SCImago Journal Rank), que mide el prestigio de una revista, teniendo en cuenta variable como el campo de estudio, la calidad y la reputación en términos de número de citas.

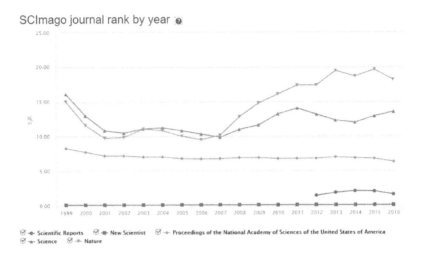

Figura 2: Evolucion temporal del SJR en las cinco revistas analizadas.

La figura 2 muestra como ha aumentado considerablemente el índice o factor de impacto en los últimos años para algunas de las revistas analizadas, en concreto *Nature* y *Science*. Las otras tres revistas multidisciplinares no muestran un aumento de su impacto en los últimos años, pero cada una tiene sus circunstancias que deben ser analizadas de forma independiente. Parece buena noticia que la credibilidad de revistas de esta categoría esté en alza, pues confirma la oportunidad para áreas multidisciplinares que se intuía en la figura 1.

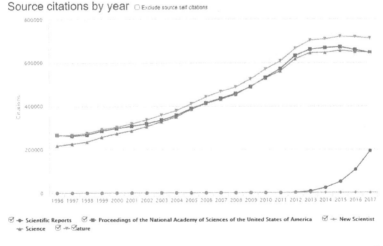

Figura 3: Evolucion temporal del número anual de citas en las cinco revistas analizadas.

La figura 3 muestra la evolución del número anual de citas de trabajos publicados en estas cinco revistas que estamos analizando, y que consideramos representativas de la categoría multidisciplinar. Citar un trabajo implica otorgarle prestigio, credibilidad, impacto, y es por esto que dicho valor es de los más perseguidos por la comunidad científica, porque se traduce directamente en mejores índices de impacto, visibilidad y por tanto posibilidad de obtener financiación, de mantener viva la investigación, de motivar al equipo de trabajo, etc. Son muchas las ventajas derivadas de un incremento en el número anual de citas en los trabajos publicados.

Si apreciamos en detalle la figura, puede servir para comprobar las hipótesis planteadas desde el inicio de este trabajo, y en sus raíces. En lo que llevamos de siglo hemos asistido a un incremento en la cantidad y calidad de los trabajos presentados en revistas multidisciplinares, consecuencia del nacimiento de equipos que combinan profesionales de distintos ámbitos. La eficiencia demostrada de estos equipos de trabajo se ha ido consolidando en el tiempo y ha redundado en mayor calidad de los trabajos presentados, lo que se traduce directamente en un mayor número de citas.

Pero gracias también a la figura 3 podemos detectar un fenómeno que no se había abordado hasta el momento en este trabajo: desde aproximadamente el año 2012 se aprecia un cambio de tendencia. La progresión hasta 2012 era alta y rozando la exponencialidad, pero a partir de dicho año se aprecia que el número de citas aumenta, pero de forma más moderada, y desde 2014 podemos afirmar que se estabiliza el número de citas de trabajos publicados en las tres principales revistas por índice de impacto. La explicación de este hecho puede ser múltiple también, pero podría ser que estemos asistiendo a la saturación de la capacidad de mejora de revistas como las empleadas en el estudio. Esto no tiene porqué ser malo, simplemente significaría que hemos encontrado el sitio que deben ocupar en el mundo, en términos de calidad, las revistas multidisciplinares, pero hay que decir que los valores alcanzados son muy elevados y nada tienen que envidiar a las mejores revistas de áreas específicas.

En cambio, en el caso de *Scientific Reports* apreciamos justo la tendencia opuesta y puede llevarnos a confusión después de todo lo comentado, pero la explicación es sencilla en este caso analizando la propia revista. Se trata de una publicación online abierta (online open access) que nació en 2011 del grupo *Nature*. En su caso, la evolución es naturalmente in crescendo, pues su corta vida y la familia de la que procede no pueden hacer esperar otra cosa. Previsiblemente en cinco o seis años alcance en número de citas a las otras tres revistas con más solera pioneras en la categoría multidisciplinar.

El listado de revistas incluidas en esta categoría supera las 50, pero es cierto que nos hemos centrado en solo las cinco de más impacto porque las demás todavía están despegando en términos de indicios de calidad.

Los desafíos y oportunidades para la investigación multidisciplinaria en un mundo de sistemas complejos e interdependientes

En este subapartado se pretende realizar una reflexión más profunda del mundo interdisciplinario que nos rodea, y viene a completar la realidad que se ha puesto de manifiesto en los resultados mostrados. El avance del conocimiento en la civilización occidental ha tomado un camino de creciente especialización. Nos hemos acercado a la comprensión de nuestro mundo deconstruyéndolo en fragmentos cada vez más pequeños que crean las disciplinas y subdisciplinas para poder predecir, o al menos explicar, el comportamiento en la naturaleza, los individuos y la sociedad.

En el panorama actual del conocimiento, existen poderosos impulsores para la investigación multidisciplinaria. A través de una colaboración simple, los investigadores de diferentes disciplinas pueden lograr más al trabajar en equipo. La investigación interdisciplinaria va más allá de la simple colaboración y el trabajo en equipo para integrar datos, metodologías, perspectivas y conceptos de múltiples disciplinas con el fin de avanzar en la comprensión fundamental o para resolver problemas del mundo real. La investigación interdisciplinaria requiere que un investigador individual obtenga una comprensión profunda de dos o más disciplinas y domine sus idiomas y metodologías, o con mayor frecuencia que los equipos multidisciplinarios se reúnan y creen un lenguaje común y un marco para el descubrimiento y la innovación.

Los impulsores de la investigación interdisciplinaria son variados. En primer lugar, la naturaleza y la sociedad son complejas, y nuestra curiosidad innata para comprender los elementos y fuerzas dentro de ellas requiere una exploración desde la perspectiva de múltiples disciplinas.

Es importante destacar que tenemos una necesidad crítica de resolver problemas sociales en un mundo que está sujeto a muchas fuerzas. Uno de los ejemplos que se siente con más urgencia en este momento es la consecuencia de no comprender completamente todas las fuerzas desatadas por la libre circulación de capitales y la globalización.

Hace poco tiempo, nuestro enfoque urgente era el cambio climático, donde debemos considerar, entre otras cosas, cómo los océanos y los ríos están influenciados por el uso de la tierra y los productos de la industrialización, los constituyentes atmosféricos y la radiación solar. Estos subsistemas están vinculados en el tiempo y el espacio y tienen incorporados múltiples mecanismos de retroalimentación.

La complejidad presentada en cada uno de estos ejemplos del mundo real requiere una investigación interdisciplinaria que abarque las ciencias naturales y sociales si queremos alcanzar el tipo de capacidad predictiva que podría informar a los responsables de la formulación de políticas.

Finalmente, sabemos que las herramientas que tenemos disponibles para examinar nuestro mundo con frecuencia son transformacionales cuando se extraen de fuera de la disciplina que las desarrolló; como el descubrimiento de rayos X por parte de los fisiólogos y su impacto en la medicina, o la creación de Internet por parte de los militares y su impacto en la comunicación en la sociedad en general.

Las instituciones académicas están organizadas en gran medida de maneras que promueven el avance de las disciplinas individuales o subdisciplinas. Las políticas que rigen la contratación, la promoción y la asignación de recursos a menudo funcionan en contra de la investigación interdisciplinaria. Si la investigación interdisciplinaria va a florecer en la academia, entonces los sistemas de recompensa en la academia deben reconocer el diferente ritmo con el que puede avanzar la investigación interdisciplinaria y el hecho de que a menudo es un equipo en lugar de un logro individual. También es necesario contar con estructuras organizativas flexibles que puedan funcionar en departamentos centrados en la disciplina. Los institutos y centros dirigidos con financiación inicial pueden fomentar la investigación interdisciplinaria. Pero pueden surgir avances más fundamentales al crear un cuerpo de trabajo académico que establece lenguajes y marcos comunes en áreas específicas y examina qué hace una investigación interdisciplinaria exitosa. Este enfoque es el que se sigue en Universidades tan pioneras como la Universidad de Sydney, en el Instituto de Ciencias Sociales y en el Instituto para Soluciones Sostenibles.

Las agencias de financiamiento también encuentran dificultades para facilitar la investigación interdisciplinaria, y deben encontrar mecanismos creativos para superar las barreras, tales como:

- Sistemas de revisión por pares que dependen en gran medida de expertos de disciplinas únicas, y la realidad de que los paneles interdisciplinarios de revisión por pares no son fáciles de armar y operar.

- El tiempo extra que necesitan los equipos interdisciplinarios para aprender a desarrollar un lenguaje y un marco de trabajo comunes para el estudio es un impedimento en un sistema competitivo impulsado por la investigación.

¿Cómo establecemos objetivos de rendimiento para evaluar un programa de re-búsqueda interdisciplinario? La investigación interdisciplinaria es probable que sea costosa; múltiples investigadores principales tienen que unirse con capacidades dispares.

Apoyar la investigación interdisciplinaria requiere una mayor tolerancia al riesgo. A menudo sucede que cuando una agencia convoca un programa interdisciplinario, se siente presión por parte de todos para prometer demasiado y presupuestar, lo que lleva al inevitable problema del bajo rendimiento.

La evaluación comparativa de los mecanismos mediante los cuales se han apoyado los programas interdisciplinarios exitosos es esencial para garantizar el mayor retorno de la inversión en esta área desafiante. Observando en casa y en el extranjero los resultados del uso de llamadas centradas en problemas, financiación inicial, financiación sostenida a más largo plazo, becas dirigidas, etc., es esencial para la planificación futura.

Capacitar a investigadores que puedan trascender las barreras que existen entre las disciplinas requiere innovación en la enseñanza y el aprendizaje. En el entorno universitario, nuestros programas de capacitación se centran principalmente en el entrenamiento en profundidad en una disciplina o un conjunto de subdisciplinas estrechamente relacionadas. Para desarrollar el grupo de investigadores mejor preparados para la investigación interdisciplinaria, necesitamos programas de grado que proporcionen profundidad en la/s principal/es disciplina/s, al mismo tiempo que capaciten a los estudiantes para participar en cursos interdisciplinarios y estén expuestos a experiencias de investigación que trasciendan el objeto de su especialidad.

Cuanto antes añadamos a nuestra capacitación los diferentes idiomas y metodologías, mejor podemos entender las posibles contribuciones que pueden venir de fuera de nuestra disciplina. Mejor podremos formular preguntas complejas y luego integrar datos, ideas y perspectivas a medida que buscamos respuestas.

Los programas de doctorado deben considerar los beneficios de una exposición más amplia. La reducción de las barreras a los estudiantes que se mueven entre instituciones, e incluso disciplinas, podría tener grandes beneficios para nuestra capacidad de capacitar a la próxima generación de investigadores e investigadores interdisciplinarios, a los que les resulte más sencillo participar en equipos interdisciplinarios. Necesitamos reconocer los beneficios para los estudiantes que obtienen capacitación en una disciplina para poder adquirir capacitación en otra y permitir que suceda.

Hay ejemplos de programas exitosos destinados a fomentar la capacitación interdisciplinaria en el Departamento de Biología Matemática del Interent Graduate Education Research Traineeship (IGERT) patrocinado por la Fundación Nacional de Ciencias de EE. UU. La idea era, en este caso, que el alumno aprendiera las dificultades involucradas en la adquisición de datos biofísicos precisos. El estudiante no tenía aspiraciones de convertirse en un experto, pero dejó el laboratorio para entender cómo se generaban los datos y cuáles eran sus limitaciones y fortalezas. Podía usar este conocimiento para formular las preguntas que necesitaba hacer sobre otros tipos de datos experimentales que serían la última prueba de sus marcos teóricos. Este ejemplo puede parecer muy modesto, ya que la distancia entre la biología matemática y la biofísica experimental parece no ser tan grande, pero como tal, es una buena demostración de lo difícil que puede ser llegar a ser verdaderamente interdisciplinario. Los idiomas, las culturas y los objetivos de lo que podrían considerarse subdisciplinas aquí, a menudo hacen que lo que se aprende no tenga valor para el otro; la vaca esférica del teórico es el ejemplo anecdótico que personifica el abismo de la comprensión entre teoría y experimento en el estudio de los sistemas biológicos.

El potencial de la investigación interdisciplinaria depende, en última instancia, de la extensión a la que las personas quieran participar, y lo que es igualmente importante si tienen la oportunidad de hacerlo. La academia, los laboratorios nacionales y la industria pueden crear oportunidades e incentivos para atraer a los mejores y más brillantes a esta frontera. Es probable que el investigador interdisciplinario individual sea un ave relativamente rara, y serán los equipos de investigadores quienes serán más la norma para avanzar en la investigación interdisciplinaria. Los equipos de investigación son entidades sociales modestamente complejas y en su estudio de 2004 titulado Facilitar la investigación interdisciplinaria, un panel de la Academia Nacional de Ciencias de los EEUU, encontró que estaban limitados por la falta de un cuerpo de investigación revisada por pares en las ciencias sociales que "determine los complejos procesos sociales e intelectuales que hacen que la investigación interdisciplinaria sea exitosa". Si bien hemos avanzado un poco en pensar sobre el papel de las estructuras flexibles y los incentivos de financiación para facilitar que los equipos multidisciplinarios se unan para un problema de esfuerzo o un estudio de área, es necesario que los científicos sociales aborden los aspectos más fundamentales de lo que facilita una investigación interdisciplinaria exitosa; eso es lo que permite a los equipos de alto rendimiento derribar las barreras del idioma y la cultura y crear conocimiento que impulse la innovación.

Conclusiones

Tras analizar algunos resultados de revistas multidisciplinares en la base de datos Scopus, puede concluirse sin temor a ser pretenciosos, que esta categoría de publicaciones está en alza y representa una alternativa muy interesante y prometedora a áreas como las Didácticas de las Ciencias Sociales y Experimentales, que se nutren del conocimiento de las ramas puras de Ciencias, pero aplican el conocimiento a la enseñanza de docentes en formación. Campos de estudio tan complejos como los abordados por las áreas de las Didácticas Específicas encuentran cabida para difundir sus trabajos en la categoría multidisciplinar de los principales índices de calidad.

Pero no solo este tipo de áreas publica en revistas multidisciplinares, sino también renombrados equipos de trabajo a nivel mundial que se componen de profesionales especialistas en distintas materias. Estos equipos colaboran de forma coordinada para encontrar soluciones complejas a problemas globales, que requieren de distintas perspectivas para hallr una respuesta solvente y eficaz. Las crecientes líneas de trabajo en biotecnología, química-física, agroecología, bioquímica, etc. Encuentran cabida en este tipo de publicaciones y las enriquecen con su diversidad.

Las dificultades intrínsecas a llevar a cabo un trabajo que integra a varios profesionales de diferentes especialidades, quedan compensadas con los buenos resultados obtenidos y el reconocimiento que reciben por parte de la comunidad internacional a su labor.

Este trabajo pretende ser una llamada de atención a las bondades de las revistas multidisciplinares y un primer acercamiento a los motivos de su éxito floreciente. En próximos años, con total seguridad, asistiremos a un incremento en el número de revistas incluidas en la categoría multidisciplinar y un mayor aumento de la calidad y el impacto de los trabajos publicados en ellas.

Referencias bibliográficas

Arencibia-Jorge, R. (2009). Nuevos indicadores de rendimiento científico institucional basados en análisis de citas: los índices H sucesivos. Revista española de documentación científica, 32(3), 101-106.

Arranz, M. (2003). Los filtros metodológicos y la Medicina Basada en la Evidencia (MBE). Pap Med, 12(1), 8-10.

Cabezas-Clavijo, A. y Delgado-López-Cózar, E. (2013). Google Scholar e índice h en biomedicina: la popularización de la evaluación bibliométrica. Medicina intensiva, 37(5), 343-354.

Calvache, J. A. y Delgado, M. (2006). El resumen y las palabras clave en la literatura médica. Revista Facultad de Ciencias de la Salud de la Universidad del Cauca, 8(1), 7-11.

Delgado, E. y Repiso, R. (2013). El impacto de las revistas de comunicación: comparando Google Scholar Metrics, Web of Science y Scopus. Comunicar, 21(41).

Dorta-González, P. y Dorta-González, M. I. (2010). Indicador bibliométrico basado en el índice h. Revista Española de Documentación Científica, 33(2), 225-245.

Gálvez Toro, A. y Amezcua, M. (2006). El factor h de Hirsch: the h-index: Una actualización sobre los métodos de evaluación de los autores y sus aportaciones en publicaciones científicas. Index de Enfermería, 15(55), 38-43.

García Río, F. (1999). Estrategia para la búsqueda bibliográfica eficiente. Bibliometría. Valoración crítica. *Arch Bronconeumol, 35* (Supl 1), 27-30.

Harzing, A. W. K. y Van der Wal, R. (2008). Google Scholar as a new source for citation analysis. Ethics in science and environmental politics, 8(1), 61-73.

Herrero Martínez, R. M. (2014). El papel de las TIC en el aula universitaria para la formación en competencias del alumnado. Pixel-Bit. Revista de Medios y Educación, (45).

Jorge, R. A., Solorzano, L. P. y Ruiz, J. A. A. (2004). Los filtros metodológicos como herramientas eficaces para la búsqueda de evidencias clínicas. Revista Cubana de Información en Ciencias de la Salud, 12(3), 4.

Pitkin, R. M., Branagan, M. A. y Burmeister, L. F. (1999). Accuracy of data in abstracts of published research articles. Jama, 281(12), 1110-1111.

Quindós, G. (2009). Confundiendo al confuso: reflexiones sobre el factor de impacto, el índice h (irsch), el valor Q y otros cofactores que influyen en la felicidad del investigador. Revista Iberoamericana de Micología, 26(2), 97-102.

Ruiz, A. P. (2011). El modelo docente universitario y el uso de nuevas metodologías en la enseñanza, aprendizaje y evaluación The educational model at university and the use of new methodologies for teaching, learning and assessment. Revista de educación, 355, 591-604.

Ruiz Manzano, J. (1999). Publicaciones biomédicas: normas generales, tipos de artículos, elección de la revista, proceso editorial. Arch Bronconeumol, 35(Supl 1), 34-7.

Salinas, J. (2004). Cambios metodológicos con las TIC. Estrategias didácticas y entornos virtuales de enseñanza-aprendizaje. Bordón, 56(3-4), 469-481.

Sanz-Valero, J., Veiga de Cabo, J., Rojo-Alonso, C., Wanden-Berghe, C., Espulgues Pellicer, J. X. y Rodrigues Guilam, C. (2008). Los filtros metodológicos: aplicación a la búsqueda bibliográfica en la medicina del trabajo española. Medicina y seguridad del trabajo, 54(211), 75-83.

Este libro se terminó de elaborar en junio de 2018
en la ciudad de Sevilla, bajo los cuidados de
Francisco Anaya, director de Ediciones Egregius.

www.ingramcontent.com/pod-product-compliance
Lightning Source LLC
Chambersburg PA
CBHW050459080326
40788CB00001B/3910